A1.2

Sandra Evans
Angela Pude
Franz Specht

MENSCHEN

Deutsch als Fremdsprache
Kursbuch

D1501090

Hueber Verlag

Für die hilfreichen Hinweise bei der Entwicklung des Lehrwerks danken wir:
Ebal Bolacio, Goethe-Institut/UERJ, Brasilien
Esther Haertl, Nürnberg, Deutschland
Miguel A. Sánchez, EOI León, Spanien
Claudia Tausche, Ludwigsburg, Deutschland
Anja Caroline Weber, Volkshochschule Wiesbaden, Deutschland
Katrin Ziegler, Università degli studi di Macerata, Italien

Fachliche Beratung:
Prof. Dr. Christian Fandrych, Herder-Institut, Universität Leipzig

Fotoproduktion:
Fotograf: Florian Bachmeier, Schliersee
Organisation: Iciar Caso, Wessling

Zusätzliche interaktive Lernangebote finden Sie unter www.hueber.de/menschen

| 3. | 2. | 1. | | | Die letzten Ziffern |
| 2023 | 22 | 21 | 20 | 19 | bezeichnen Zahl und Jahr des Druckes. |

Alle Drucke dieser Auflage können, da unverändert,
nebeneinander benutzt werden.
1. Auflage
© 2019 Hueber Verlag GmbH & Co. KG, München, Deutschland
Umschlaggestaltung: Sieveking · Agentur für Kommunikation, München
Layout und Satz: Sieveking · Agentur für Kommunikation, München
Verlagsredaktion: Marion Kerner, Gisela Wahl, Jutta Orth-Chambah, Hueber Verlag, München
Druck und Bindung: Westermann Druck GmbH, Braunschweig
Printed in Germany
ISBN 978–3–19–561901–1

Art. 530_25222_001_01

INHALT

Piktogramme und Symbole

Hörtext auf CD ▶1 02

Aufgabe im Arbeitsbuch AB

Zusätzliches interaktives Lernangebot   Beruf

Grammatik

	arbeiten	**haben**
ich	arbeite	habe
du	arbeitest	hast
Sie	arbeiten	haben

GRAMMATIK

Kommunikation

KOMMUNIKATION

Welche Sprachen sprichst du / sprechen Sie?
Ich spreche sehr gut / gut / ein bisschen …

Hinweis

man = jeder/ alle   INFO

Liebe Leserinnen, liebe Leser,

Menschen ist ein Lehrwerk für Anfänger. Es führt Lernende ohne Vorkenntnisse in jeweils zwei Bänden zu den Sprachniveaus A1, A2 und B1 des Gemeinsamen Europäischen Referenzrahmens und bereitet auf die gängigen Prüfungen der jeweiligen Sprachniveaus vor.

Menschen geht bei seiner Themenauswahl von den Vorgaben des Gemeinsamen Europäischen Referenzrahmens aus und greift zusätzlich Inhalte aus dem aktuellen Leben in Deutschland, Österreich und der Schweiz auf. Das Kursbuch beinhaltet 12 kurze Lektionen, die in vier Modulen mit je drei Lektionen zusammengefasst sind.

Das Kursbuch

Die 12 Lektionen des Kursbuchs umfassen je vier Seiten und folgen einem transparenten, wiederkehrenden Aufbau:

Einstiegsseite

Der Einstieg in jede Lektion erfolgt durch ein ansprechendes, großformatiges Foto, das oft mit einem „Hörbild" kombiniert wird und den Einstiegsimpuls darstellt. Dazu gibt es erste Aufgaben, die in die Thematik der Lektion einführen. Oft wird die Einstiegssituation auf der Doppelseite wieder aufgegriffen und vertieft. Außerdem finden Sie hier einen Kasten mit den Lernzielen der Lektion.

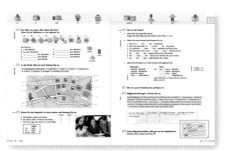

Doppelseite

Ausgehend von den Einstiegen werden auf einer Doppelseite neue Strukturen und Redemittel eingeführt und geübt. Das neue Wortfeld der Lektion wird in der Kopfzeile prominent und gut memorierbar als „Bildlexikon" präsentiert. Übersichtliche Grammatik- und Redemittelkästen machen den neuen Stoff bewusst. In den folgenden Aufgaben werden die Strukturen zunächst meist in gelenkter, dann in freierer Form geübt. In die Doppelseite sind zudem Übungen eingebettet, die sich im Anhang auf den „Aktionsseiten" befinden. Diese Aufgaben ermöglichen echte Kommunikation im Kursraum und bieten authentische Sprech- und Schreibanlässe.

Abschlussseite

Auf der vierten Seite jeder Lektion ist eine Aufgabe zum Sprechtraining, Schreibtraining oder zu einem Mini-Projekt zu finden, die den Stoff der Lektion nochmals aufgreift. Als Schlusspunkt jeder Lektion werden hier die neuen Strukturen und Redemittel systematisch zusammengefasst und transparent dargestellt.

Modul-Plus-Seiten
Vier zusätzliche Seiten runden jedes Modul ab und bieten weitere interessante Informationen und Impulse, die den Stoff des Moduls nochmals über andere Kanäle verarbeiten lassen.

Lesemagazin:	Magazinseite mit neuen Lesetexten und Aufgaben zu den Texten
DVD-Seite:	Fotos und Aufgaben zu den Filmsequenzen der *Menschen*-DVD
Projekt Landeskunde:	ein interessantes Projekt, das ein landeskundliches Thema aufgreift und einen zusätzlichen Lesetext bietet
Ausklang:	ein Lied mit Anregungen für den Einsatz im Unterricht und kreativen Aufgaben

Zusätzliche interaktive Lernangebote
Der Stoff aus *Menschen* kann zu Hause selbstständig vertieft werden. Das fakultative Zusatzprogramm für die Lernenden ist passgenau mit dem Kursbuch verzahnt und befindet sich im Lehrwerkservice unter www.hueber.de/menschen.

Übersicht über die Verweise:

interessant?	… führt zu einem Lese- oder Hörtext (mit Didaktisierung) oder Zusatzinformationen, die das Thema aufgreifen und aus einem anderen Blickwinkel betrachten
noch einmal?	… hier kann man den KB-Hörtext noch einmal hören und andere Aufgaben dazu lösen
Spiel & Spaß	… führt zu einer kreativen, spielerischen Aufgabe zum Thema
Film	… führt zu einem Minifilm, der an das Kursbuch-Thema anknüpft
Beruf	… erweitert oder ergänzt das Thema um einen beruflichen Aspekt
Diktat	… führt zu einem kleinen interaktiven Diktat
Audiotraining	… Automatisierungsübungen für zu Hause und unterwegs zu den Redemitteln und Strukturen
Karaoke	… interaktive Übungen zum Nachsprechen und Mitlesen

Im Lehrwerkservice finden Sie außerdem zahlreiche weitere Materialien zu *Menschen* sowie die Audio-Dateien zum Kursbuch als mp3-Downloads.

Viel Spaß beim Lernen und Lehren mit *Menschen* wünschen Ihnen

Autoren und Verlag

Ergänzen Sie den Fragebogen und stellen Sie dann Ihre Partnerin / Ihren Partner vor.

Vorname: _____   Ausbildung/Beruf: _____

Familienname: _____   Familie/Alter: _____

Sprachen: _____   Das mag ich gern: _____

Hobbys: _____   Das mag ich nicht so gern: _____

▶ 3 01
AB

1 Im Auto

[handwritten: in dem / in am um]

a Sehen Sie das Foto an, hören Sie und kreuzen Sie an. Was ist richtig?

[handwritten: They both search for something]

1 Die beiden suchen etwas. ☒
2 Die Frau sagt, der Stadtplan stimmt. *[handwritten: says map of the city is correct]* ○
3 Die Frau macht den Navigator an. ○

b Hören Sie noch einmal. Wer sagt das? Die Frau (F),
der Navigator (N) oder keiner (k)?

1 Nach 600 Metern bitte rechts abbiegen. ⌐→   Ⓝ
2 Fahr geradeaus weiter! ↑   Ⓕ
3 Bitte links abbiegen. ↖   Ⓚ
4 Bitte wenden Sie. ⤶   Ⓝ
5 Fahr zurück! ⤶   Ⓚ

1000 Meter (m) =	
1 Kilometer (km)	INFO

Hören: Wegbeschreibung

Sprechen: Wegbeschreibung: *An der Ampel fahren Sie nach links.*; jemanden um Hilfe bitten: *Entschuldigung. Eine Frage bitte …*

Wortfeld: Institutionen und Plätze in der Stadt

Grammatik: lokale Präpositionen + Dativ: *Wo? – Vor dem Restaurant.*

| auf | an | neben | vor | hinter |

from above — adverb

AB **2** **Der Blick von oben. Was sehen Sie hier?**

Sehen Sie das Bildlexikon an und ergänzen Sie.

Spiel & Spaß

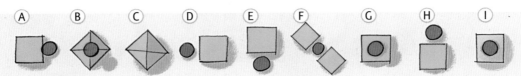

(A) (B) (C) (D) (E) (F) (G) (H) (I)

dative case

Der Stab ist ...

A *an* dem Würfel. *am Würfel*
B *über* der Pyramide.
C *unter* der Pyramide.
D *neben* dem Würfel.
E *vor* dem Würfel.

F *zwischen* den Würfeln.
G *über* dem Würfel.
H *hinter* dem Würfel.
I *in* dem Würfel.

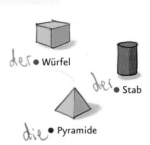

der • Würfel
der • Stab
die • Pyramide

AB **3** **In der Stadt. Was ist was? Ordnen Sie zu.**

Spiel & Spaß

(1) • Stadtmitte / • Zentrum | (2) • Bahnhof | (3) • Dom | (4) • Bank | (5) • Restaurant |
(6) • Post | (7) • Polizei | (8) • Ampel | (9) • Brücke | (10) • Café

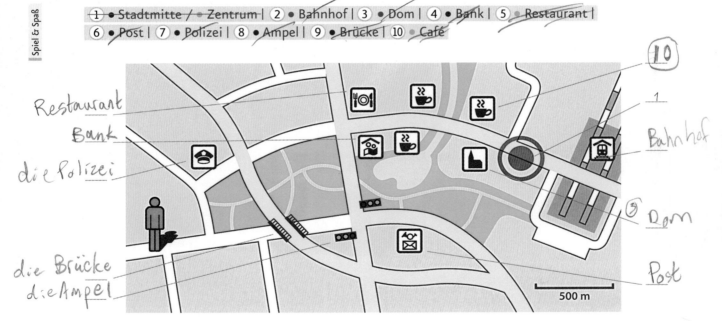

Restaurant
Bank
die Polizei

die Brücke
die Ampel

(10)
1
Bahnhof
(3) *Dom*
Post

500 m

▶ 3 02 **4** **Hören Sie das Gespräch im Auto weiter und kreuzen Sie an.**

	richtig	falsch
a Die beiden suchen ein Hotel.	⊗	○
b Der Mann hilft. Er kennt das Hotel.	○	⊗
c Die Frau sagt, das Hotel ist in der Nähe.	○	⊗

helfen	
ich	helfe
du	hilfst
er/sie	hilft

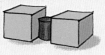

▶ 3 03 **5** **Wo ist das Hotel?**

AB

a Hören Sie das Gespräch weiter.
Tragen Sie den Weg und das Hotel in den Plan in 3 ein.

things aren't moving

noch einmal?

b Hören Sie noch einmal und kreuzen Sie an.

1 Das ist in ⊗ der ○ die Stadtmitte.
2 Ach, das ,Maritim' ist ○ in das ⊗ im Zentrum? *in dem*
3 Ja, zwischen ⊗ dem ○ der Bahnhof und dem Dom.
4 Dann kommen Sie unter ○ eine ⊗ einer Brücke durch.
5 An ⊗ der ○ die Ampel fahren Sie nach links. *lights (streetlights)*
6 Vor ⊗ dem ○ das Restaurant fahren Sie nach rechts.
7 An ○ die ⊗ den Cafés fahren Sie vorbei.

c Lesen Sie die Sätze in **b** noch einmal und ergänzen Sie.

GRAMMATIK

Nominativ		Dativ			
● der/ein Bahnhof		vor	*dem* / einem	Bahnhof
● das/ein Restaurant			*dem* / einem	Restaurant
● die/eine Ampel			*der* / einer	Ampel
● die/– Cafés/Häuser			*den* / –	Cafés/Häusern

pl. häus

auch so bei: auf, an, neben, hinter, zwischen, über, unter, in

GRAMMATIK

in dem = im
an dem = am

6 **Wo ist Laura? Arbeiten Sie auf Seite 73.**

AB **7** **Wegbeschreibungen. Ordnen Sie zu.**

Diktat

I am also foreign here

Entschuldigung! | Ich bin auch fremd hier. | Können Sie mir helfen? | ... einen/zwei/... Kilometer geradeaus. Und dann sehen Sie schon ... | Wo ist denn hier ...? | Kennen Sie ...? | Wenden Sie. | Das ist in der Nähe (von) ... | Ich suche ... | Trotzdem: Danke schön! | Tut mir leid. Ich bin nicht von hier. | Sie biegen rechts/links ab. | Sie fahren/gehen geradeaus / nach rechts / nach links. | ... die nächste Straße rechts/links. | Sehr nett! Vielen Dank!

HW

nach dem Weg fragen	sich bedanken	den Weg beschreiben	den Weg nicht kennen
Entschuldigung! ...			

8 **Einen Weg beschreiben: Wie gut ist Ihr Gedächtnis?**
Arbeiten Sie zu zweit auf Seite 74.

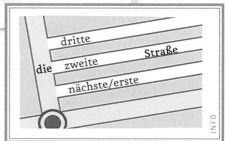

INFO

AB **9** **Jemanden um Hilfe bitten**

▶ 3 04 **a** Welche Sätze sind höflich? Hören Sie und kreuzen Sie an.

1 Entschuldigen Sie bitte. Kann ich Sie etwas fragen? Wo finde ich das Café Schiffer? ✓
2 Entschuldigen Sie. Haben Sie einen Moment Zeit? Kennen Sie das Café Schiffer? ✓
3 Hallo, Sie! Helfen Sie mir! Ich suche das Café Schiffer. ✗
4 Hallo! Wo ist denn das Café Schiffer? ✗ ✓
5 Entschuldigung. Eine Frage bitte: Wo ist denn das Café Schiffer? ✓

b Sie kennen den Weg nicht.
Bitten Sie nun höflich um Hilfe.

Entschuldigung.
Eine Frage bitte: ...

Bahnhof

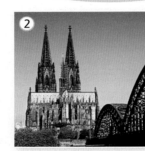

Kölner Dom

Hotel Sacher   in Wien
└ sacher Torte

HW

Beruf

GRAMMATIK

Audiotraining

Karaoke

Wo? → Lokale Präpositionen mit Dativ			
Nominativ		**Dativ**	
Da ist ...	Wo ist das Hotel? Es ist ...	definiter Artikel	indefiniter Artikel
● der/ein Dom.	neben	dem Dom.	einem Dom.
● das/ein Café.	neben	dem Café.	einem Café.
● die/eine Post.	neben	der Post.	einer Post.
Da sind ...			
● die / – Banken/ Häuser.	neben	den Banken/ Häusern.	– Banken/ Häusern.

auch so: auf, an, vor, hinter, zwischen, über, unter, in
❗ in dem = im   an dem = am

KOMMUNIKATION

jemanden um Hilfe bitten

Entschuldigung! | Entschuldigen Sie (bitte). | Können Sie mir helfen? | Kann ich Sie etwas fragen? | Haben Sie einen Moment Zeit? | Eine Frage bitte: ...

nach dem Weg fragen

Kennen Sie / Wo finde ich ...? | Ich suche ...

sich bedanken und darauf reagieren

Sehr nett! Vielen Dank! | Ach so. Schade. Trotzdem: Danke schön!
Bitte, gern. | Kein Problem.

den Weg beschreiben

Sie fahren zuerst geradeaus und dann nach rechts. | Sie biegen rechts/links ab. | Sie fahren die nächste/zweite/... Straße links/rechts. | Das ist in der Nähe von ... | Sie fahren zwei Kilometer geradeaus. Wenden Sie. | Sie gehen/fahren zurück. | Und dann sehen Sie das Hotel / ... schon.

den Weg nicht kennen

Nein. Tut mir leid. | Ich bin auch fremd hier. | Ich bin nicht von hier.

Glückstadt

VANILLA

OTTO

▶ 3 05 **1 Sehen Sie das Bild an und hören Sie.**
Kennen Sie Computerspiele wie „Glückstadt"?
Spielen Sie gern Computerspiele? Welche?

zauri = fence

AB **2 Sehen Sie die Häuser auf dem Bild an. Zu wem passt das?**
Kreuzen Sie an. Hilfe finden Sie im Bildlexikon.

	VANILLA	OTTO
a Das Haus ist groß und elegant.	○	⊗
b Das Haus ist klein und gemütlich.	⊗	○
c Im Garten sind viele Blumen.	⊗	○
d Im Garten steht ein Baum.	⊗	○
e Das Haus hat viele Fenster.	○	⊗
f Das Haus hat eine Treppe.	○	⊗

Einganztur aus Holz

eine Bank (bench)

Hat Treppe aus beton /

Sprechen: etwas beschreiben und bewerten: *Das Haus ist groß. / Ottos Garten finde ich nicht so schön.*

Lesen: Wohnungsanzeigen

Schreiben: E-Mail

Wortfelder: Wohnungen und Häuser

Grammatik: Possessivartikel (Nominativ/Akkusativ) *sein – ihr*; Genitiv bei Eigennamen: *Ottos Haus*

dreizehn | 13 Modul 5

● Haus   ● Garten   ● Blume   ● Baum   ● Treppe   ● Garage

AB **3** ### Wie heißen die Zimmer?
Notieren Sie die Buchstaben.

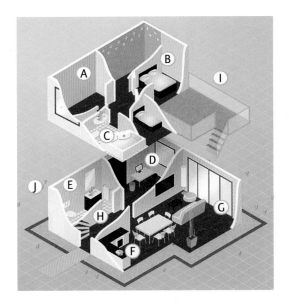

Ⓐ ● Kinderzimmer | Ⓖ ● Wohnzimmer |

Ⓕ ● Küche | Ⓓ ● Arbeitszimmer |

Ⓑ ● Schlafzimmer | Ⓒ ● Bad |

◯ ● Toilette | Ⓗ ● Flur |

◯ ● Erdgeschoss | ◯ ● erster Stock

Ground floor   first floor

(r) Speiseraum
(s) EßZimmer

▶ 3 06 **4** ### Elena, Maria und „Glückstadt". Hören Sie und kreuzen Sie an.
AB

noch einmal?

   a   Elena und Maria   ⊗ spielen ein Computerspiel.
                           ◯ wohnen auch in Glückstadt.

   b   Otto ist   ⊗ Single und hat keine Kinder.
                           ◯ geschieden und hat zwei Kinder.

   c   Vanilla ist   ⊗ Ottos Nachbarin.
                           ◯ Ottos Frau.

   d   Elena und Maria   ⊗ eine Frau.
       meinen: Otto braucht   ◯ keine Frau.

> **GRAMMATIK**
> **Genitiv**
> Ottos Nachbarin =
> die Nachbarin von Otto

AB **5** ### Und rechts ist sein Wohnzimmer.

▶ 3 06 a   **Hören Sie noch einmal und ergänzen Sie *sein*, *seine* oder *seinen*.**

     1   Da oben ist <u>sein</u> [ihr] Balkon. Und da hinten ist <u>seine</u> [ihre] Garage – und <u>sein</u> Auto.
     2   Und <u>sein</u> Haus? Wie findest du Ottos Haus?
     3   <u>Sein</u> Haus finde ich schön. Aber <u>seinen</u> [ihren] Garten mag ich nicht so.
     4   Was ist denn mit Ottos Frau? – <u>Seine</u> Frau? Otto hat keine Frau.
     5   Aber von wem sind denn dann <u>seine</u> Kinder?

   b   **Ergänzen Sie.**

GRAMMATIK

Nominativ Da ist ...	Akkusativ [like] Ich mag ...	
● _____	sein**en**	Balkon.
● sein	_____	Haus.
● <u>se</u>_____	seine	Garage.
Da sind ...	Ich mag ...	
_____	seine	Kinder.

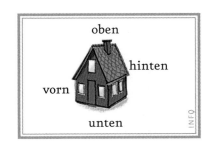

oben
hinten
vorn
unten

INFO

AB **6** *sein* und *ihr*

gender

a Wie finden Sie Ottos Haus? Sprechen Sie.

▲ Wie findest du Ottos Garten?
■ Seinen Garten mag ich nicht so.
   Aber sein Haus ist schön.

<table>
<tr><td>KOMMUNIKATION</td><td>Ich finde … interessant/langweilig/…
… mag ich besonders / gar nicht / nicht so.
Aber/Und … sieht toll / … / nicht so schön aus.</td></tr>
</table>

b Und wie finden Sie Vanillas Haus?

■ Vanillas Haus ist gemütlich.
▲ Ihren Garten mag ich besonders.

	Nominativ 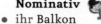	**Akkusativ**
●	ihr Balkon	ihren
●	ihr Haus	
●	ihre Garage	
●	ihre Blumen	

GRAMMATIK

7 **Gegenstände beschreiben. Arbeiten Sie zu zweit auf Seite 75.**

Miten — Rent
Kaufen — Buy
Haus

der Mieter (renter)
der Vermieter
(landlord)

AB **8** **Der „Glückstadt"-Wohnungsmarkt**

a Überfliegen Sie die Anzeigen und notieren Sie:

① Wer sucht eine Wohnung / ein Haus?   ② Wer bietet eine Wohnung / ein Haus an?

Ⓐ 2
elevator
Glückstadt/Stadtmitte. Schöne 2-Zimmer-Wohnung
(54 m²) im 3. Stock (Aufzug!) mit Küche, Bad und
Balkon. Eigener Stellplatz in der Tiefgarage. 400 € plus
120,00 € Nebenkosten. Sofort frei. braun@ab-immo.com
utilities

Ⓑ ___
Polizistin sucht dringend 1½- bis 2-Zimmer-Wohnung
in Glückstadt/Stadtmitte oder Nord, ca. 40 bis 50 m²
(nicht über 500 € inkl.). Gern auch möbliert. Kontakt:
gittiweiß@polizei-glückstadt.org

Ⓒ ___
Blumenstraße 12. **Nettes kleines Haus,** 120 m², 4 Zi.,
Küche, 2 Bäder. Schöner großer Garten (700 m²!).
Miete 880 € plus NK (200 €). Kontakt: vanilla@btx.net

Ⓓ ___
Glückstadt-Süd. Apartment, 32 m², im EG. Wohn- und
Schlafraum plus Küche (mit Kühlschrank und Herd).
Monatsmiete: 320 € inkl. NK. braun@ab-immo.com

Ⓔ *Monthly rent*
Super! Wohnen wie auf dem Land
und doch mitten in der Stadt: WGM –
Wohnpark Glückstadt Mitte. Nur noch
11 Wohnungen frei. 30 bis 70 m² /
Warmmiete 360 bis 880 €/Monat.
Ihr Vermieter: Glückstadtbau AG.
Tel. 34758

| m² = der Quadratmeter | INFO |

b Lesen Sie die Anzeigen noch einmal. Was passt zusammen? Markieren Sie die Wörter in
den Anzeigen und ordnen Sie zu.

1 Nebenkosten _d_   2 Vermieter _a_   3 möbliert _b_   4 Miete _c_

a Man bezahlt sie jeden Monat für seine Wohnung oder sein Haus.
b Die neue Wohnung ist nicht leer. In der Küche stehen z.B. ein Tisch und Stühle.
c Das ist eine Person oder eine Firma. Sie vermietet die Wohnung oder das Haus und
   bekommt die Miete.
d Man bezahlt sie zusammen mit der Miete, zum Beispiel für Wasser, Müll oder Licht.
garbage

9 **Wie sieht Ihr Traumhaus aus? Arbeiten Sie zu zweit auf Seite 76.**

Diktat

10 Meine neue Wohnung

Sie sind gerade umgezogen und schreiben eine E-Mail an eine Freundin / einen Freund.

a Wie ist Ihre neue Wohnung? Ergänzen Sie.

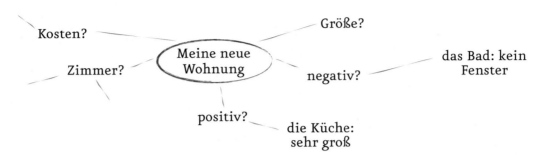

Kosten?   Größe?

Meine neue
Wohnung

Zimmer?   negativ?   das Bad: kein
Fenster

positiv?

die Küche:
sehr groß

b In welcher Reihenfolge wollen Sie die Punkte aus **a** erwähnen? Sortieren Sie.

c Wählen Sie eine Anrede, passende Sätze und eine Grußformel und schreiben Sie die E-Mail.

Liebe/Lieber …, | Hallo …,
ich bin umgezogen. Meine Wohnung ist … m² groß und kostet … |
Sie hat eine Küche / ein Bad / … |
Toll ist: Die Küche / Das Wohnzimmer hat/ist … |
Leider hat das Bad / … kein Fenster / …
Herzliche Grüße | Liebe Grüße | Viele Grüße

Stock — floor

GRAMMATIK

Genitiv bei Eigennamen

Ottos Nachbarin	=	die Nachbarin von Otto
Vanillas Garten	=	der Garten von Vanilla

Possessivartikel sein/ihr

	Nominativ		Akkusativ		
	Da ist … ♂	♀	Ich mag … ♂	♀	
• Garten	sein	ihr	sein**en**	ihr**en**	Garten.
• Haus	sein	ihr	sein	ihr	Haus.
• Küche	seine	ihre	seine	ihre	Küche.
	Da sind …		Ich mag …		
• Kinder	seine	ihre	seine	ihre	Kinder.
	auch so bei: finden, …				

KOMMUNIKATION

Häuser und Wohnungen beschreiben

Das Haus ist groß/klein und hat sieben/… Zimmer.
Im Erdgeschoss / Im ersten Stock sind drei Zimmer.
Hier vorne links ist die Küche / das …
Da hinten ist seine Garage / ihr …
Neben dem Haus ist eine Garage.

Häuser und Wohnungen bewerten

Ich finde … interessant/langweilig/…
… mag ich besonders / gar nicht / nicht so.
Aber/Und … sieht toll / … nicht so schön aus.

Beruf

Audiotraining

Karaoke

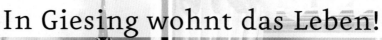

Sprechen: einen Ort bewerten: *Giesing ist ganz normal. Das gefällt mir.*; nach Einrichtungen fragen und darauf antworten: *Gibt es eigentlich auch ein Kino in … ?*

Lesen: Blog

Wortfelder: Einrichtungen und Orte in der Stadt

Grammatik: Verben mit Dativ / Personalpronomen im Dativ: *Das gefällt mir.*

1 Der Blick aus meinem Fenster.

a Was sehen Sie auf den Bildern? Hilfe finden Sie im Bildlexikon.

▶ 3 07-12 **b** Was passt? Hören Sie und ordnen Sie zu.

Text	1	2	3	4	5	6
Foto	___	___	___	___	___	___

2 Was sehen Sie aus Ihrem Fenster? Mögen Sie den Blick?

● Café | ● Park | ● Hafen | ● Straße | ● Meer | …

> Ich sehe eine Straße. Ich mag den Blick nicht so gern. Was siehst du?

interessant?

● Turm ● Kirche ● Schloss ● Rathaus ● Markt ● Altstadt ● Geschäft / ● Laden

AB **3** **Überfliegen Sie Marlenes Blog.**

a **Worüber schreibt Marlene? Kreuzen Sie an.**

○ über ihre Stadt ○ über ihr Stadtviertel ○ über ihre Straße

b **Zu welchen Themen finden Sie Links?**
Notieren Sie. Nicht alle Wörter passen!

Reisebüro | Kino | Film | Bibliothek | Schule | Jugendherberge | Museum |
Friseur | Wetter | Glückstadt | Fotos | Restaurants | Rezepte | Theater

Reisebüro, ...

AB **4** **Mein Lieblingsviertel**

a **Lesen Sie den Blog und die Kommentare noch einmal. Was ist richtig? Kreuzen Sie an.**

1 Giesing ist ein Stadtviertel in München. ○
2 Marlene wohnt sehr gern in Giesing. ○
3 In Giesing wohnen keine Ausländer. ○
4 In Giesing gibt es leider nur sehr wenige Geschäfte. ○

MARLENES BLOG

In Giesing wohnt das Leben!

21. Juni

Seit einem halben Jahr lebe ich in München, in meinem Lieblingsviertel Giesing. Giesing ist ganz normal. Giesing ist nicht toll. Giesing ist nicht ‚in'. Und genau das gefällt mir so gut. Hier leben Alte und Junge zusammen, Arbeiter und Studenten, Deutsche und Ausländer. Der Stadtteil gehört uns allen und hier finden wir auch alles: Es gibt Läden, Werkstätten, viele Kneipen und Restaurants. Ich wohne mit meiner Familie in der Tegernseer Landstraße. Von hier aus kommen wir überall sehr gut zu Fuß hin: Der Kindergarten ist gleich um die Ecke, zur Schule ist es auch nicht weit, mein Friseur ist im Nachbarhaus und zur Post sind es keine 50 Meter. Ich sag's ja: Giesing ist ganz normal und das finde ich super so!

Kommentare

Hallo Marlene! Gratuliere! Dein Blog gefällt mir. Und dein Text über Giesing hilft mir sehr. Ich möchte nämlich bald in München studieren. Ich habe noch keine Wohnung dort, aber vielleicht kenne ich jetzt ja schon mal den richtigen Stadtteil. Eine Frage noch: Gibt es eigentlich auch ein Kino in Giesing? Ich danke dir!
„Claudia aus Essen" *26. Juni um 22:12 Uhr* *Antworten*

Ja, Giesing ist schon okay. Aber so toll ist es nun auch wieder nicht. Andere Stadtteile sind auch schön. Mir gefallen die Maxvorstadt und das Lehel sehr gut.
„Teddybär" *28. Juni um 16:43 Uhr* *Antworten*

Links

THEATER IM TURM
www.tit.de

Aktuelles

10.000 Euro für Bücher! Wir helfen unserer Stadtteilbibliothek.

Eine Jugendherberge für Giesing: Hermann Schrader dankt der Stadt München.

"Ich liebe diese Landschaft!" Meer und Berge auf Korsika. 12 Fotos und ein Text von Lars Trockau.

"Hundert Bäume sind noch kein Wald" – Der neue Film von Sam Jung läuft jetzt im Kino.

München-Wetter (Regen oder Sonne?)

Hermis Küche (Tolle Kochrezepte!)

Glückstadt-Fanseite (Für alle ‚Glückstadt'-Spieler)

W R *wächterreisen*

Meer?

Wald?

Stadt?

Berge?

Kommen Sie einfach zu uns! Wir helfen Ihnen weiter.

Reisebüro Wächter
www.waechterreisen.de

● Kindergarten   ● Spielplatz   ● Schule   ● Jugendherberge   ● Bibliothek

b Lesen Sie den Blog noch einmal. Was gibt es in Giesing?
Was davon gibt es auch in Ihrem Heimatort /
in Ihrem Stadtviertel? Notieren Sie.

Giesing	Mein Heimatort
Läden, ...	

c Was meinen Sie? Kreuzen Sie an oder schreiben Sie selbst etwas.
Vergleichen Sie dann mit Ihrer Partnerin / Ihrem Partner.

Marlene

1 ○ kauft gern ein.   ○ findet Einkaufen nicht so wichtig.
2 ○ liebt die Ruhe auf dem Land.   ○ lebt gern in der Stadt.
3 ○ ist gern allein.   ○ ist gern unter Menschen.
4 ○ hat Kinder.   ○ hat keine Kinder.
5 ○ _____   ○ _____

AB **5** **Das gefällt mir.**

a Was bedeuten die markierten Wörter aus dem Blog? Ordnen Sie zu.

1 Der Stadtteil gehört uns allen.   a Das ist wichtig für mich.
2 Das gefällt mir.   b Alle sind hier zu Hause und können sagen:
                     „Das ist *mein* Viertel."
3 Ich danke dir.   c Das finde ich gut.
4 Das hilft mir.   d Vielen Dank für deine Hilfe!

b Welche Personalpronomen stehen bei den markierten Wörtern? Ergänzen Sie.

Personalpronomen						
Nominativ	ich	du	er/es/sie	wir	ihr	sie/Sie
Dativ Das gefällt	mir	_____	ihm/ihm/ihr	_____	euch	ihnen/Ihnen

auch so nach: gehören, danken, helfen ...

c Urlaubsorte bewerten: Wem gefällt was? Arbeiten Sie auf Seite 73.
Ihre Partnerin / Ihr Partner arbeitet auf Seite 77.

6 **Stadt und Natur**
Arbeiten Sie zu zweit. Lesen Sie den Blog noch
einmal und suchen Sie Wörter zu den beiden Themen.

In der Natur: Landschaft,
Meer, Wald, ...
In der Stadt: Läden, ...

AB **7** **Was ist Ihr Lieblingsviertel?**
Machen Sie Notizen und erzählen Sie dann im Kurs.

– Was gefällt Ihnen (nicht) an dem Viertel?
– Was gibt es in dem Viertel? Was fehlt?
– Was für Leute wohnen da?

Wien – Neubau
Es gibt: Kneipen, Museen,
Läden ...

MINI-PROJEKT

8 **Wie gut kennen Sie die anderen aus Ihrem Kurs?**

a Was möchten Sie von den anderen wissen? Machen Sie einen Fragebogen und tauschen Sie ihn mit einer anderen Person.

Beruf | Sprache | Hobby | Farbe | Obst | Computerspiel | Buch | Urlaubsort | ...

1 Mein Lieblingsrestaurant: _____
2 Meine Lieblingsstadt: _____
3 Mein Lieblingsfilm: _____
4 Mein(e) _____ : _____
5 Mein(e) _____ : _____
6 _____ : _____
7 _____ : _____
8 _____ : _____

b Beantworten Sie die Fragen und notieren Sie Ihren Namen auf dem Fragebogen. Mischen Sie dann alle Fragebögen.

c Ziehen Sie einen Fragebogen und erzählen Sie. Die anderen raten: Von wem sind die Antworten?

Das Lieblingsrestaurant heißt „Cantina México". Die Lieblingsstadt ist ...

GRAMMATIK

Personalpronomen im Dativ

Nominativ	Dativ
ich	mir
du	dir
er/es	ihm
sie	ihr
wir	uns
ihr	euch
sie/Sie	ihnen/Ihnen

Verben mit Dativ

Das	gehört	mir.
Das	gefällt	dir.
Das	hilft	ihm.
Ich	danke	ihr.

KOMMUNIKATION

einen Ort bewerten

Was gefällt Ihnen/euch (nicht) an dem Viertel?
Giesing ist ganz normal und das finde ich super so / ist schon okay. / Das finde ich gut.
Aber so toll ist es nun auch wieder nicht.

nach Einrichtungen fragen und darauf antworten

Gibt es eigentlich auch ein Kino / ... in ...?
In ... gibt es leider nur sehr wenige Geschäfte / ...
Es gibt viele Kneipen und Restaurants.

Vom Seehaus bis zum Teehaus
Ein Spaziergang durch Ludgers Lieblingspark in München

Von Ludger Haring

Der Englische Garten in München ist mehr als 200 Jahre alt und er ist seit 1792 für alle Menschen geöffnet. Wir finden das heute ganz normal, aber im 18. Jahrhundert war es noch etwas Besonderes. So
5 viel ‚Volksnähe' war in den meisten Ländern Europas nämlich noch nicht üblich.

Englischer ‚Garten'? Gärten sind ja meist ziemlich klein. Wir sprechen hier aber von einem Park mit mehr als vier Quadratkilometern Fläche. Und dieser
10 Park liegt auch noch mitten in der Großstadt. Vom Stadtzentrum am Marienplatz sind es nur etwa 800 Meter und schon ist man im Grünen.
Ich möchte meinen Spaziergang aber woanders starten und fahre vom Marienplatz zuerst mal vier
15 Stationen bis zur Haltestelle Münchner Freiheit. Von dort gehe ich dann in etwa zehn Minuten zu Fuß zum Kleinhesseloher See. Der Biergarten am Seehaus ist sehr schön, aber für eine Pause ist es noch ein bisschen zu früh. Also weiter.

Jetzt gehen wir noch etwa 800 Meter in Richtung Stadtmitte und kommen zum Japanischen Teehaus. Seit 1972 haben München und das japanische Sapporo eine Städtepartnerschaft. Das Teehaus ist ein
35 Zeichen für die Freundschaft der beiden Olympiastädte.

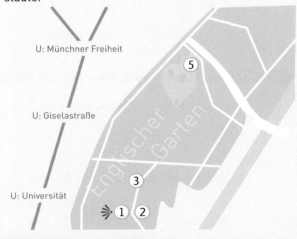

○ Monopteros

① Blick vom Monopteros

○ Chinesischer Turm

○ Teehaus

○ Kleinhesseloher See

20 Nach einem Kilometer komme ich zum Chinesischen Turm. Den finde ich besonders toll. Er ist 25 Meter hoch und ganz aus Holz. Auch hier gibt es einen Biergarten. Er hat 7.000 Sitzplätze und ist bei Einheimischen und Touristen sehr beliebt. Manchmal spielt
25 im Turm eine bayrische Blasmusik für die Gäste.

Noch einmal 300 Meter weiter kommen wir zu meinem Lieblingsplatz: zum Monopteros. Das ist ein griechischer Tempel auf einem Hügel. Von dort oben hat man einen super Blick auf
30 die Frauenkirche und das Zentrum.

So, mein Spaziergang ist zu Ende. Wir haben noch nicht einmal 30 Prozent vom Englischen Garten gesehen. Aber sicher verstehen Sie schon jetzt: Er ist mein Lieblingspark in München.

U: Odeonsplatz 40

U: Marienplatz

1 Ludgers Spaziergang. Lesen Sie den Text, zeichnen Sie Ludgers Weg in die Karte ein und ordnen Sie die Bilder zu.

2 Und Sie? Haben Sie einen Lieblingspark oder einen Lieblingsplatz? Erzählen Sie.

▶ Clip 13 **1** **Wo ist denn der Goetheplatz? – Sehen Sie den Film und sortieren Sie.**

○ 200 Meter geradeaus

○ an der nächsten Straße links und sofort wieder nach rechts

① 50 Meter geradeaus

○ an der Ampel nach links

○ und da ist der Goetheplatz

○ an der Ecke nach rechts

○ noch mal 400 Meter geradeaus

▶ Clip 14 **2** **Superwohnung. – Sehen Sie die Reportage und beantworten Sie die Fragen.**

1 Was sagt Frau Möllemann?

a Wie ist der Flur?
  nicht sehr groß, praktisch

b Wie ist der Blick aus der Küche?

c Wie findet sie das Wohnzimmer?

d Was kann man in dem Viertel gut machen?

e Wie schläft sie im Schlafzimmer?

2 Möchte Herr Waurich die Wohnung mieten?
  Und Sie? Wie finden Sie die Wohnung?

▶ Clip 15 **3** **Grüezi in Bern. – Was ist richtig? Sehen Sie die Reportage und kreuzen Sie an.**

a Bern hat
  ○ 150.000 ○ 130.000 ○ 120.000 Einwohner.

b In Bern spricht man
  ○ Hochdeutsch. ○ Französisch. ○ Berner Deutsch.

c Der Zytglogge (Zeitglockenturm) ist
  ○ 500 ○ 700 ○ 800 Jahre alt.

d Im Berner Wappen sieht man
  ○ einen Hund. ○ einen Bären. ○ ein „B".

1 Lesen Sie Jans Blog und kreuzen Sie an: richtig oder falsch?

JANS BLOG *Hamburg – das Tor zur Welt*

Meine Lieblingsstadt ist Hamburg. Ich bin oft dort und besuche Freunde. Die Stadt hat 1,8 Millionen Einwohner und liegt in Norddeutschland an der Elbe. In Hamburg gibt es alles: Kunst und Kultur, Restaurants und Bars, Läden und Geschäfte – und viel Wasser.

Ihr wollt Hamburg besuchen? Das müsst Ihr sehen:

1 Hamburg am Wasser
Besonders spannend sind der Hafen mit den Container-schiffen aus der ganzen Welt und die Speicherstadt. Dort lagern Waren von den Schiffen: Kaffee, Tee, Gewürze, Kakao, elektronische Produkte, Teppiche und vieles mehr. Aber es gibt auch Museen, Ausstellungen, Lesungen und Theateraufführungen.

2 Hamburg von oben
Die Kirche St. Michaelis (die Hamburger nennen sie „Michel") ist das Wahrzeichen von Hamburg. Der Blick vom Kirchturm (132 Meter hoch!) auf die Stadt und den Hafen ist einfach toll!

3 Hamburg am Abend
Natürlich gibt es in Hamburg überall viele Kneipen. Besonders gern mag ich aber die Atmosphäre am Großneumarkt, das ist ein Platz in der Hamburger Neustadt mit Kneipen, Cafés und Restaurants. Vielleicht sehen wir uns irgendwann mal?

Ewa aus Krakau
Danke für die Tipps, Jan! Dein Blog gefällt mir gut. Hamburg kenne ich noch nicht, aber jetzt möchte ich unbedingt hin und den Hafen sehen. *Antworten*

	richtig	falsch
a Hamburg liegt an der Nordsee.	○	○
b Jan lebt in Hamburg.	○	○
c Die Speicherstadt ist das Wahrzeichen von Hamburg.	○	○
d In der Speicherstadt gibt es keine kulturellen Veranstaltungen.	○	○
e Vom Michel hat man einen sehr schönen Blick auf die Stadt.	○	○
f Am Abend geht Jan gern zum Großneumarkt.	○	○

2 **Unsere Lieblingsstadt**

a Arbeiten Sie zu zweit: Wählen Sie Ihre Lieblingsstadt und machen Sie Notizen zu den Fragen:

1 Wo ist die Stadt und wie groß ist sie?
2 Wie oft sind/waren Sie dort?
3 Welche drei Sehenswürdigkeiten/Plätze/... gefallen Ihnen besonders gut?

b Schreiben Sie einen Blog wie in **1**. Suchen Sie auch passende Fotos im Internet.

c Lesen Sie die Blogs der anderen Kursteilnehmer und schreiben Sie einen Kommentar dazu.

AUSKLANG

ICH FINDE ES HIER SUPER!

1 Ich finde es hier super. Der Ort ist sehr schön.
Wir haben ein Zimmer mit Blick aufs Meer.
Das Essen ist gut. Die Leute sind nett.
Ich liebe diese Landschaft. Hier gefällt es mir sehr.

Und wie findest du es hier? Ist es nicht toll, hm?

Nein, es gefällt mir nicht.
Komm jetzt, ich möchte gehen.

Was? Es gefällt dir nicht?
Ich kann das nicht verstehen.

2 Ich liebe die Geschäfte in der Friedrichstraße.
Ruf' uns mal ein Taxi! Da fahren wir jetzt hin.
Ich glaube, ein Friseur ist da auch gleich um die Ecke.
Ach, mein Schatz, ich finde es so super in Berlin.

Und du, Schnucki? Findest du es auch so schön hier?

Die Stadt gefällt mir nicht.
Ich möchte sie nicht sehen.

Berlin gefällt dir nicht?
Ich kann das nicht verstehen.

▶ 3 13 **1 Suchen Sie sich eine Partnerin / einen Partner.**
Hören Sie die Musik und lernen Sie die Tanzschritte.

  nach links   nach rechts   nach vorne   nach hinten

▶ 3 14 **2 Hören Sie das Lied und lesen Sie den Text.**

a Entscheiden Sie: Wer von Ihnen ist lieber am Meer (Strophe 1)?
Wer lieber in der Stadt (Strophe 2)?

b Lesen Sie den Liedtext zu zweit laut vor. Betonen Sie dabei, was Ihnen
gefällt und was nicht.

▶ 3 14 **3 Hören Sie das Lied noch einmal und singen oder tanzen Sie mit.**

Hören/Sprechen: Hilfe anbieten: *Was kann ich für Sie tun?*; um Hilfe bitten: *Die Heizung funktioniert nicht.*; auf Entschuldigungen reagieren: *Kein Problem.*

Lesen/Schreiben: E-Mail: Termine vereinbaren und verschieben

Wortfeld: im Hotel

Grammatik: temporale Präpositionen *vor, nach, in, für*

1   Was war denn das jetzt?

▶ 3 15   **a**   Sehen Sie das Foto an und hören Sie. Wer sind die Personen? Wo sind sie? Was ist das Problem? Erzählen Sie.

> Gäste | Kollegen | Geschwister | ...   im Hotel | in einer Firma | ...
> Aufzug steckt fest | funktioniert nicht | ...

  b   Mit wem möchten Sie im Aufzug stecken bleiben? Warum?

> Mit George Clooney / ... Den/Die möchte ich gern kennenlernen. ...

2   Wie geht die Geschichte jetzt weiter? Was meinen Sie?

  a   Was machen die beiden jetzt?   ○ Sie warten.   ○ Sie rufen Hilfe.   ○ _____
  b   Wie geht es den Personen?   ○ Sie sind genervt.   ○ Sie haben Angst.   ○ _____

- Aufzug • Klimaanlage • Heizung • Fernseher • Radio • Internetverbindung • Licht • Seife

▶ 3 16 **3** **Was ist richtig? Hören Sie das Gespräch weiter und kreuzen Sie an.**

a Die Hotelgäste ○ tun nichts und warten. ○ rufen Hilfe.
b ○ Der Techniker ○ Nur die Aufzugfirma kann den Aufzug reparieren.
c Die Aufzugfirma kommt ○ in einer Stunde. ○ in einer halben Stunde.
d Der Techniker macht ○ nur die Klimaanlage und das Licht
○ die Klimaanlage, das Licht und die Musik aus.

AB **4** **Was kann ich für Sie tun?**

▶ 3 16 a Welche Sätze hören Sie im Gespräch? Hören Sie noch einmal und markieren Sie.

noch einmal?

> Entschuldigen Sie, die Heizung funktioniert nicht. Können Sie einen Techniker schicken? | Was kann ich für Sie tun? | Wir haben ein Problem hier: Der Aufzug steckt fest. | Ich kümmere mich sofort darum. | Wir brauchen Ihre Hilfe. Der Fernseher ist kaputt. | Ich komme sofort. | Ich kann das nicht selbst reparieren. Tut mir leid, das kann wohl nur die Aufzugfirma machen. | Kann ich Ihnen helfen? | Entschuldigung, können Sie mir helfen? | Eine Bitte noch: Können Sie die Klimaanlage ausmachen? Es ist sehr kalt hier.

Film

b Ordnen Sie die Sätze aus a zu.

um Hilfe bitten	Hilfe anbieten / auf Bitten reagieren
Entschuldigen Sie, die Heizung funktioniert nicht. Können ...	Ich kann das nicht selbst reparieren. Tut mir leid, das kann wohl nur die ...

AB **5** **Was ist Ihnen im Hotel nicht so wichtig?**

Spiel & Spaß

a Machen Sie eine Liste mit fünf Dingen. Hilfe finden Sie im Bildlexikon.

Diktat

b Vergleichen Sie mit Ihrer Partnerin / Ihrem Partner.

Ich	Meine Partnerin / Mein Partner
1 Telefon	Klimaanlage
2 Fernseher	
3 ...	
4 ...	
5 ...	

Ein Telefon finde ich nicht so wichtig. Ich nehme ja mein Handy immer mit.

AB **6** **Rollenspiel: im Hotel um Hilfe bitten. Arbeiten Sie zu zweit auf Seite 78.**

Spiel & Spaß

AB **7** **Termine**

a **Überfliegen Sie die E-Mails. Was ist das Thema?**

Termine absagen/verschieben: A___
Termin vereinbaren: ____

Ⓐ

Hallo Martin,

leider kann ich heute Abend doch nicht
kommen. Ich hatte Probleme mit dem
Internet. Ich habe also leider heute noch gar
nicht gearbeitet ☹. Das muss ich nun heute
Abend machen. Können wir den Termin
verschieben? Von Mittwoch bis Freitag bin
ich auf Geschäftsreise und ab Montag bin
ich für eine Woche im Urlaub. Passt es Dir
am Wochenende?

Liebe Grüße Julia

Ⓑ

Lieber Fred, ich gehe am Dienstag nach
der Uni doch nicht zu Massimo. Wir können
also vor dem Tanzkurs noch zusammen essen.
Vielleicht so um 18.30 Uhr? Hast Du Lust?

LG Petra

Ⓒ

Sehr geehrte Frau Wegele,

ich stecke im Aufzug fest und schaffe es nicht
pünktlich zur Sitzung. In einer halben Stunde
kommt der Techniker. Ich kann wahrscheinlich
erst um 16.30 Uhr bei Herrn Feldmann sein.
Sagen Sie ihm bitte Bescheid?
Mit freundlichen Grüßen

Gina Wallner

b **Lesen Sie die E-Mails noch einmal
und korrigieren Sie die Sätze.**

Ⓐ 1 Julia möchte den Termin mit Martin ~~morgen~~ verschieben. *heute*
   2 Sie möchte Martin am Freitag treffen.

Ⓑ 1 Petra geht am Dienstag zu Massimo.
   2 Sie möchte mit Fred um 18.30 Uhr tanzen gehen.

Ⓒ 1 Frau Wegele ist im Aufzug.
   2 Frau Wallner kommt pünktlich zur Sitzung mit Herrn Feldmann.

c **Markieren Sie** *für, nach, vor* **und** *in* **in
den E-Mails und ergänzen Sie.**

Wann?

○————————————X
jetzt   Zeitpunkt in der Zukunft

in   einem   Monat
         einem   Jahr
         ____   Stunde
         zwei   Wochen

GRAMMATIK

Wann?
(————————) X (————————)
vor   Zeitpunkt   nach
               (Uni/Tanzkurs)

vor   ____   Kurs
         dem   Essen
nach   ____   Uni
         den   Sitzungen

GRAMMATIK

(Für) Wie lange?
(————————)
   Zeitspanne

für   einen   Monat
         ein   Jahr
         _____   Woche
         zwei   Wochen

GRAMMATIK

AB **8** **Einen Termin verschieben**
Arbeiten Sie zu zweit auf Seite 79.

Beruf

SPRECHTRAINING

9 Sie sind zum Essen eingeladen und kommen eine halbe Stunde zu spät.

a Schreiben Sie drei Entschuldigungen.

Tut mir leid, ich bin im Aufzug stecken geblieben.
Entschuldigung, ich habe deine Straße nicht gefunden.
Mein Navi funktioniert nicht.
Tut mir leid, meine Uhr ist kaputt.

b Auf Entschuldigungen reagieren. Was passt? Ordnen Sie zu.

Sie glauben die Entschuldigung:

Sie finden die Entschuldigung okay:

Sie glauben die Entschuldigung nicht:

Schade. / Wie dumm! Jetzt ist das Essen kalt.

Seltsam! Jetzt funktioniert deine Uhr / dein ... doch. / Ach, wirklich?

Ach, das macht doch nichts. / Kein Problem!

c Arbeiten Sie zu viert. Wer bekommt die meisten Punkte?

Sie kommen zu spät und entschuldigen sich. Die anderen reagieren: Wie finden sie Ihre Entschuldigung: sehr gut (4 Punkte), okay (2 Punkte) oder nicht gut (0 Punkte)?

▲ Tut mir leid, meine Uhr ist kaputt.
● Wie dumm!
■ Ach, wirklich?

GRAMMATIK

Audiotraining | Karaoke

temporale Präpositionen vor, nach, in + Dativ			
	Wann?		
●	vor/nach/in	einem	Monat
●		einem	Jahr
●		einer	Stunde
○		zwei	Wochen

temporale Präposition für + Akkusativ			
	(Für) Wie lange?		
●	für	einen	Tag
●		ein	Jahr
●		eine	Woche
○		zwei	Wochen

KOMMUNIKATION

um Hilfe bitten

Entschuldigung, können Sie mir helfen? | Wir haben ein Problem. Wir brauchen Ihre Hilfe. | Eine Bitte noch: Können Sie ...? | ... ist kaputt / funktioniert nicht. | Es gibt kein/e/en ...

Hilfe anbieten / auf Bitten reagieren

Was kann ich für Sie tun? | (Wie) Kann ich Ihnen helfen? | Ich kümmere mich sofort darum. | Ich komme sofort.

Termine vereinbaren und verschieben

Ich kann leider doch nicht ins Kino gehen/kommen ... | Ich möchte den Termin verschieben. | Können wir den Termin verschieben? | Ich kann am ... | Am ... habe ich Zeit. | Passt dir das? | Passt es dir am ...? | Wollen wir am ... ins Kino gehen? | Hast du Lust?

auf Entschuldigungen reagieren

Kein Problem! | Das macht doch nichts.
Schade. | Wie dumm!
Seltsam. | Ach, wirklich?

Aufnahmeprüfung

▶ 3 17 **1** **Sehen Sie das Foto an und hören Sie. Welche Anzeige passt?**
Was meinen Sie?

① **Die Internationale Pop-Akademie (IPA)**
Du möchtest Popstar werden?
Melde dich jetzt an!

② **DSDS – die Castingshow**
Auch im nächsten Jahr sucht
Deutschland den Superstar!
Du möchtest ins Fernsehen – dann
bewirb dich jetzt für das Casting!

③ **Staatlich anerkannte Schule
für Schauspielkunst**
Aufnahmeprüfung: 15.7.

2 **Auf welche Anzeige würden Sie sich bewerben?**

■ Anzeige … klingt interessant. Ich singe gern.
▲ Ich finde Anzeige … interessant. Ich möchte gern ins Fernsehen /
zum Theater.

| ein Buch schreiben | Chef werden | Schauspieler werden | Politiker werden | Geld verdienen | heiraten | eine große Familie haben | auf einen Berg steige |

AB **3** **Wer will Popstar werden?**

a Was passt? Finden Sie die passenden Ausdrücke und notieren Sie.
Wie heißen sie in Ihrer Sprache?

1 eine Anzeige

4 einen Studienplatz

3 die Aufnahmeprüfung

abschließen

anmelden

bekommen

schaffen

2 sich an einer Schule

lesen

5 eine Berufsausbildung

1 eine Anzeige lesen: ...

b Lesen Sie den Textanfang und kreuzen Sie an.

	richtig	falsch
1 Die IPA hat fast 300 Studienplätze.	○	○
2 Auf der Akademie kann man nur Komponieren, Singen und Tanzen studieren.	○	○
3 Cherry, Fabian und Lisa haben die Ausbildung abgeschlossen.	○	○
4 Die Ausbildung dauert drei Jahre.	○	○

HALLO! WER WILL POPSTAR WERDEN?

POPSTAR

289 junge Leute haben sich in diesem Jahr angemeldet – aber nur 12 von ih-nen können einen Studienplatz an der Internationalen Pop-Akademie (IPA) be-kommen. Als Studenten können sie in drei Jahren Komponieren, Singen und Tanzen lernen. Und sie bekommen Ant-worten auf viele andere wichtige Fragen, wie zum Beispiel: „Musikproduktion – Was ist wirklich wichtig?", „Wie verkaufe ich mich?", „Was kann ich für mein Image tun?" oder „PR – wie arbeitet man richtig mit Internet, Radio, Fernsehen und Zeitungen?" Für Cherry, Fabian und Lisa ist das alles aber noch nicht so wich-tig. Für sie zählt heute nur eine Frage: „Schaffe ich die Aufnahmeprüfung?"

c Lesen Sie nun den Text auf Seite 31 weiter. Wer sagt das? Kreuzen Sie an.

	Fabian	Cherry	Lisa
1 Ich schreibe meine Lieder selbst.	○	○	○
2 Singen und Tanzen sind sehr wichtig.	○	○	○
3 Ich finde eine Berufsausbildung wichtig.	○	○	○
4 Ich möchte viel Geld verdienen.	○	○	○
5 Meine „Starbrille" bringt mir Glück.	○	○	○
6 Ich singe nur auf Deutsch.	○	○	○

ch Europa reisen   um die Welt segeln   im Ausland leben   Motorrad fahren   den Führerschein machen   ein (Musik)Instrument lernen   viele Fremdsprachen lernen

Eine Frage: Warum wollen Sie hier studieren?

Cherry (18)
„Ich will Sängerin werden. Klar, ich kann das alles auch ohne Schule und ohne Lehrer machen. Aber mit einer Berufsausbildung habe ich einfach bessere Chancen, denke ich. Hier, sehen Sie mal: Das ist meine ‚Starbrille'. Ich weiß, sie bringt mir heute Glück."

Fabian (21)
„Ich will Liedermacher werden. Die meisten Leute sagen ja ‚Singer-Songwriter', aber ich texte und singe nur in meiner Muttersprache Deutsch. Also sage ich natürlich: ‚Liedermacher'. Ich gehe jetzt mit meiner Gitarre in das Zimmer da und singe ein Lied. Es ist von mir und es gefällt mir sehr gut. Naja, mal sehen."

Lisa (24)
„Ich war schon auf zwei anderen Musikschulen. Aber dort habe ich nicht sehr viel gelernt. Jetzt will ich schnell Profi werden, verstehen Sie? Ich bin ja schon 24 und möchte bald mal richtig Geld verdienen. Für mich sind Singen und Tanzen besonders wichtig. Ein bisschen Angst habe ich jetzt schon!"

AB **4** *mit* oder *ohne*?

Spiel & Spaß

a Welche Sätze sind richtig? Kreuzen Sie an.

1 Cherry glaubt, sie hat auch ohne eine Berufsausbildung sehr gute Chancen. ○
2 Cherry geht mit ihrer Starbrille in die Prüfung. ○
3 Fabian geht ohne seine Gitarre in das Prüfungszimmer. ○
4 Lisa geht ohne Angst in die Prüfung. ○

> GRAMMATIK
> **ohne** + Akkusativ
> ohne die/eine Gitarre
> **mit** + Dativ
> mit der/einer Gitarre

b Was nehmen Sie in den Urlaub mit: *mit* oder *ohne* …? Arbeiten Sie auf Seite 80.

AB **5** **Ergänzen Sie *wollen* in der richtigen Form.**

Beruf

a Cherry, Fabian und Lisa _____ an der IPA studieren.
b Cherry _____ Sängerin werden.
c Fabian sagt: „Ich _____ Liedermacher werden."
d Und Sie? Was _____ Sie werden?

> INFO
> | | **werden** |
> |---|---|
> | ich | werde |
> | du | wirst |
> | er/sie | wird |

> GRAMMATIK
> | | **wollen** |
> |---|---|
> | ich | will |
> | du | willst |
> | er/sie | will |
> | wir | wollen |
> | ihr | wollt |
> | sie/Sie | wollen |

> GRAMMATIK
> Ich will Liedermacher werden.

AB **6** **Was wollen Sie in Ihrem Leben noch/nicht machen? Erzählen Sie im Kurs.**

Spiel & Spaß

a Notieren Sie. Hilfe finden Sie auch im Bildlexikon.

Das will ich unbedingt (noch) machen: _____
Das will ich vielleicht (noch) machen: _____
Das will ich auf keinen Fall (noch) machen: _____

Diktat

b Über Wünsche und Pläne sprechen: Arbeiten Sie auf Seite 82.

7 Kreatives Schreiben: Gedichte mit 11 Wörtern

a Lesen Sie die „Elfchen"-Gedichte und die Anleitung.

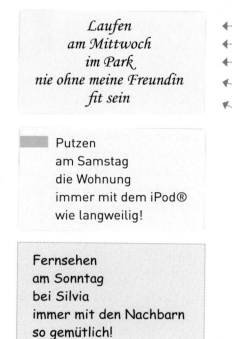

Laufen
am Mittwoch
im Park
nie ohne meine Freundin
fit sein

1. Zeile: Was? Nennen Sie die Aktivität. (1 Wort)
2. Zeile: Wann? Nennen Sie den Zeitpunkt. (2 Wörter)
3. Zeile: Wo oder was? Nennen Sie den Ort oder den Gegenstand. (2 Wörter)
4. Zeile: Wie machen Sie das? Schreiben Sie *mit* oder *ohne*. (4 Wörter)
5. Zeile: Schreiben Sie zwei Wörter zum Abschluss. (2 Wörter)

Putzen
am Samstag
die Wohnung
immer mit dem iPod®
wie langweilig!

Fernsehen
am Sonntag
bei Silvia
immer mit den Nachbarn
so gemütlich!

b Schreiben Sie nun selbst ein Gedicht wie in **a** und lesen Sie es dann vor.

GRAMMATIK

Präpositionen *mit* und *ohne*

ohne	+ Akkusativ	ohne das/mein Handy
mit	+ Dativ	mit dem/meinem Handy

Modalverb *wollen*

ich	will
du	willst
er/es/sie	will
wir	wollen
ihr	wollt
sie/Sie	wollen

Modalverben im Satz

Ich will Liedermacher werden.

KOMMUNIKATION

Wünsche äußern / über Pläne sprechen

Ich will unbedingt noch / vielleicht / auf keinen Fall …
Ich will … werden.
Ich möchte (bald) …
Für mich sind … und … besonders wichtig.

1 Hallo, Schwester Angelika!

a Was sehen Sie auf dem Foto?

> Man sieht eine Nonne. Sie ...

Nonne | Kräuter | Blumen | ...

▶ 3 18 **b** Was ist richtig? Hören Sie und kreuzen Sie an.

1 Frau Brehm ist krank. ○
2 Herr Brehm hat seit zwei Tagen Kopfschmerzen. ○
3 Schwester Angelika sagt, Herr Brehm soll zum Arzt gehen. ○

Hören/Sprechen: Schmerzen beschreiben: *Mein Kopf tut weh.*; Ratschläge geben: *Sie sagt, du sollst im Bett bleiben. / Bleiben Sie doch im Bett!*; über Krankheiten sprechen: *Gegen Bauchschmerzen trinke ich ...*

Lesen: Ratgeber

Wortfeld: Körperteile

Grammatik: Imperativ (*Sie*): *Gehen Sie zum Arzt!*; Modalverb *sollen*

▶ 3 19-20 **2 Was hat er denn?**
AB

a Welches Foto passt? Hören Sie zwei Gespräche und ordnen Sie zu.

○  ○

noch einmal?

b Hören Sie noch einmal und kreuzen Sie an.

1 Herr Brehm hat ○ keine ○ auch Schmerzen in den Armen und Beinen.
2 Das Fieber ist ○ sehr ○ nicht sehr hoch.
3 Herr Brehm hustet ○ gar nicht. ○ sehr viel.

4 Sein Kopf tut ○ immer noch ○ nicht mehr weh.
5 Das Fieber ist ○ immer noch ○ nicht mehr hoch.
6 Herr Brehm ○ macht einen Tee. ○ bleibt im Bett.

AB **3 Geben Sie ihm doch diesen Tee!**

Spiel & Spaß

a Ergänzen Sie.

Welche Ratschläge gibt Schwester Angelika den Leuten?

■ *Geben Sie ihm doch diesen Tee!*
(Sie – ihm – diesen Tee – doch – geben)

■ *Trinken Sie* _____ !
(Sie – trinken – viel)

■ _____ !
(Sie – zum Arzt – gehen)

Was hat Schwester Angelika gesagt?

▲ *Schwester Angelika sagt, du sollst diesen Tee trinken.*

▲ *Schwester Angelika sagt, ich soll* _____ .

▲ *Schwester Angelika sagt, ich* _____ .

GRAMMATIK
Imperativ
Trinken Sie (doch) ...!
Gehen Sie (doch) ...!

GRAMMATIK

	sollen
ich	soll
du	sollst
er/sie	soll
wir	sollen
ihr	sollt
sie/Sie	sollen

GRAMMATIK
Du sollst diesen Tee trinken.

Spiel & Spaß

b Gesundheits-Forum: Ratschläge geben. Arbeiten Sie zu zweit auf Seite 83.

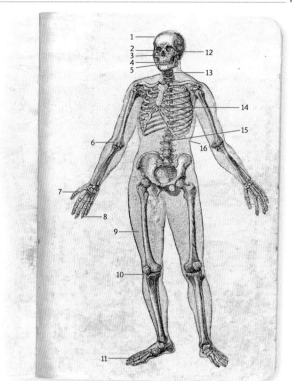

AB **4** **Wie heißen die Körperteile? Ergänzen Sie.**

● Kopf | ● Hals | ● Rücken | ● Brust | ● Bauch |
● Arm | ● Hand | ● Finger | ● Bein | ● Fuß |
● Knie | ● Ohr | ● Auge |
● Zahn | ● Nase | ● Mund

1: Kopf,

AB **5** **Nehmen Sie doch mal Heilkräuter!**

a Lesen Sie den Ratgebertext und
beantworten Sie die Fragen.

1 Was ist Naturmedizin?
zum Beispiel Heilkräuter

2 Was hilft gegen Halsschmerzen?
_____

3 Sie möchten etwas über Heilkräuter lernen.
Was können Sie tun?
_____

Klosterladen Bieberach

Heil- und Küchenkräuter, Kosmetika, Klosterliköre und Spirituosen

Gutes
und Feines
selbst gemacht
aus unserem
Kloster

Ein guter Rat von Schwester Angelika Böhmer: *Nehmen Sie doch mal Heilkräuter!*
Kopfschmerzen? Schnupfen und Fieber? Husten? Schmerzen in Armen oder Beinen?
Natürlich können Sie mit jedem Problem sofort zum Arzt gehen (und bei manchen Krankheiten
sollen Sie das auch wirklich tun!). Aber oft kann Ihnen auch die Naturmedizin mit ihren vielen
Heilkräutern helfen. Zum Beispiel mit Salbei. Salbei hilft sehr gut gegen Halsschmerzen.
Oder Baldrian: Das ist gut bei Kopf- oder Bauchschmerzen.
Wollen Sie mehr über Heilkräuter wissen? Dann lesen Sie das Buch „Heilen mit der Natur"
von Schwester Angelika Böhmer. Erschienen im Kloster-Verlag Bieberach. 14,95 €

b **Es geht Ihnen nicht gut. Was machen Sie? Erzählen Sie. Hilfe finden Sie auch im Bildlexikon.**

Bauchschmerzen | Fieber | Schnupfen | Kopfschmerzen | Husten | …

■ Ich finde Naturmedizin gut. Gegen Bauchschmerzen trinke ich Kamillentee. Das hilft.
▲ Ich glaube nicht an Naturmedizin. Ich nehme eine Tablette oder gehe zum Arzt.
● Ich trinke Kräutertee gegen Fieber. Was machst du gegen Fieber?
■ Ich …

AB **6** **Umfrage im Kurs: Wie gesund lebst du?**
Arbeiten Sie zu dritt auf Seite 75.

KOMMUNIKATION

Was machst du gegen …?
Was hilft gegen …?
  Ich nehme/trinke/gehe/bleibe …
  Das hilft.

7 Fantasiefiguren

a Arbeiten Sie zu dritt. Zeichnen Sie eine Fantasiefigur.
Beschreiben Sie Ihre Figur, Ihre Partner zeichnen mit.

> Meine Figur ist eine Frau. Der Kopf ist sehr groß. Sie hat drei Augen. Die Augen sind sehr groß. Der Mund ist über den Augen. Er ist sehr klein. Ihre Haare sind …

b Machen Sie eine Ausstellung. Welche drei Zeichnungen passen zusammen?

■ Ich glaube, die beiden Zeichnungen passen zusammen.
▲ Nein, die Figur hat drei Arme und die hat vier. Ich glaube …

GRAMMATIK

Modalverb sollen

ich	soll
du	sollst
er/es/sie	soll
wir	sollen
ihr	sollt
sie/Sie	sollen

Modalverben im Satz

Du sollst diesen Tee trinken.

Imperativ (Sie)

Trinken Sie viel!

Gehen Sie zum Arzt!

Verwendung von Imperativ und sollen

direkt: Schwester Angelika: „Geben Sie ihm diesen Tee!"

indirekt: Schwester Angelika sagt, ich soll dir diesen Tee geben.

KOMMUNIKATION

Schmerzen beschreiben

Mein Kopf / Meine … tut/tun weh.
Ich habe Halsschmerzen.

um Hilfe/Rat bitten

Haben Sie etwas für mich?
Wer kann mir helfen?
Wer hat einen Tipp für mich?

Ratschläge geben

Trinken Sie viel!
Geben Sie ihm doch diesen Tee!
Dann soll er Sport machen.

über Krankheiten sprechen

Was machst du gegen …?
Was hilft gegen …?
Ich nehme/trinke/gehe/bleibe …
Das hilft.

Audiotraining

Karaoke

Film

MigaFlex Ultra 1.02 läuft auf allen Betriebssystemen. MigaFlex Ultra 1.02 einfach installieren und problemlos nutzen. Bei Fragen hilft unsere MigaFlex-24h-Telefon-Hotline (0,49 € / Min. aus dem Festnetz).

Sehr geehrte Damen und Herren,

ich möchte mich bei Ihnen beschweren.

Vor einer Woche habe ich online Ihre Software MigaFlex Ultra 1.02 gekauft. Auf Ihrer Internet-Seite versprechen Sie: „MigaFlex Ultra 1.02 läuft auf allen Betriebssystemen. MigaFlex Ultra 1.02 einfach installieren und problemlos nutzen. Bei Fragen hilft unsere MigaFlex-24h-Telefon-Hotline." So weit Ihre Versprechen.

Und so sieht die Wirklichkeit aus:
Ich habe MigaFlex Ultra 1.02 auf meinem Computer installiert und nun läuft er nur noch ganz langsam. Die Software arbeitet auch nicht richtig und das Online-Handbuch kann kein Mensch verstehen.

Aber das ist noch gar nichts gegen Ihre Telefon-Hotline! Ich habe sie heute Vormittag um 10 Uhr angerufen. Ihre Mitarbeiterin hatte gerade keine Zeit und hat versprochen: „Wir rufen vor 12 Uhr zurück." Um 12:15 Uhr habe ich es dann noch einmal versucht. Da hieß es auf dem Anrufbeantworter: „Bitte rufen Sie nach 13 Uhr an, unsere Sachbearbeiter sind in der Mittagspause." Also habe ich um 13:10 Uhr noch einmal angerufen, ohne Erfolg. Genau das Gleiche dann um 13:30 Uhr, um 14 Uhr und um 15:45 Uhr. Um 16:05 Uhr war dann ein Mann am Apparat und sagt: „Tut mir leid, es ist schon nach 16 Uhr, die Service-Abteilung ist geschlossen. Rufen Sie morgen wieder an!"

Ich habe also heute 47 Minuten lang mit Ihrer Firma telefoniert (und davon sicher 44 Minuten lang nur gewartet). Für diesen ‚Service' berechnen Sie 49 Cent pro Minute. Das macht zusammen 23,03 €.

Für Ihre Software habe ich 199 Euro bezahlt. Ich will auf keinen Fall noch mehr Geld verlieren. Ich werde MigaFlex Ultra 1.02 deshalb heute deinstallieren und von meinem Computer löschen. Überweisen Sie mir bitte bis zum Monatsende den Kaufpreis und die Telefonkosten zurück. Zusammen sind das 222,03 €.

Tun Sie dies nicht, werde ich die Sache an meinen Anwalt weitergeben.

Mit freundlichen Grüßen

Alina Kanzler

1 Was ist richtig? Lesen Sie und kreuzen Sie an.

a Die Firma verspricht: MigaFlex Ultra 1.02 können die Kunden ohne Probleme nutzen. ○

b Alina Kanzler hat Probleme mit der Software. ○

c An der Telefon-Hotline beantwortet eine Mitarbeiterin Alinas Fragen zu der Software. ○

d Alina Kanzler möchte die Software nicht mehr haben und schickt der Firma eine Rechnung über 222,03 €. ○

e Alina hat die Sache schon an ihren Anwalt gegeben. ○

2 Und Sie? Haben Sie schon einmal etwas online gekauft und hatten dann Probleme mit dem Produkt? Erzählen Sie.

▶ Clip 16 **1 Was kann ich für Sie tun? – Sehen Sie den Film und ergänzen Sie.**

a Alfons Brunner ist _____ Jahre alt.

b Nach der Schule hat er Elektroinstallateur _____.

c Seit _____ Jahren arbeitet Herr Brunner als Hausmeister bei der Firma.

d Er kümmert sich um die _____, das Wasser und den Strom.

e Er repariert _____ und Türen.

f Er schneidet _____, Büsche und Hecken.

g Er arbeitet von _____ bis _____ immer von _____ bis _____. Von _____ bis _____ hat er Mittagspause.

h Die Arbeit macht ihm _____.

▶ Clip 17 **2 Ich will ... – Sehen Sie die Reportage. Welchen Wunsch finden Sie gut, welchen finden Sie nicht gut?**

	👍	👎
auf keinen Fall dick werden	○	○
endlich wieder ohne Krücken gehen	○	○
Karriere machen	○	○
ein Fest nur für Frauen machen	○	○
nicht wie meine Mutter werden	○	○
wenig arbeiten und viel Geld verdienen	○	○
mit dem Zug durch Europa fahren	○	○
Model werden	○	○
Tierärztin werden	○	○

Und welchen Wunsch haben Sie? _____

▶ Clip 18 **3 Das tut mir gut. – Sehen Sie die Reportage und ordnen Sie zu.**

a Ich gehe

b Ich laufe

c Ich arbeite

d Von morgens bis abends sitze ich

e Man soll

f Joggen ist

g Es ist

für mich nicht nur Sport.

nicht sehr schnell.

am Computer.

auch Meditation.

in einer Elektronikfirma hier in Wien.

zwei oder drei Mal pro Woche joggen.

viel Sport machen.

1 Lesen Sie den Text. Kennen Sie solche Wunschbäume? Erzählen Sie.

Wunschbäume

Ein Leben ohne Wünsche? Das gibt es wohl nicht. Wünsche begleiten unser Leben: Glück, Gesundheit, Liebe, Erfolg im Beruf – jeder hat zahlreiche Wünsche, für sich und andere. Doch wie sollen so viele Wünsche Wirklichkeit werden? In vielen Ländern gibt es dafür eine alte Tradition: den Wunschbaum.

Und so funktioniert es: Man schreibt seinen Wunsch auf eine Karte und hängt die Karte in den Wunschbaum. Der Baum symbolisiert die Verbindung zwischen Himmel und Erde und hilft so beim Wünschen.

Karriere machen!

Ich möchte so gern eine Weltreise machen!

Ich will Millionär werden!

Ich wünsche mir ein Haus am Meer in Frankreich.

2 Welche Wünsche passen? Lesen Sie die Texte und notieren Sie die Wünsche von dem Wunschbaum in 1.

Was ich werden will? Das weiß ich noch nicht, aber mir ist der Job sehr wichtig. Ich will unbedingt beruflich erfolgreich sein und arbeite dafür auch gern lang und viel. Hauptsache die Arbeit macht Spaß und ist interessant. Gern möchte ich im Job auch reisen und etwas von der Welt sehen.

Ich will unbedingt reich werden. Ich habe viele Hobbys: Ich fahre Ski, ich segle, ich reise gern, ich fahre Motorrad und will später unbedingt einen Sportwagen, ein Segelboot und ein Haus am Meer haben. Für meine Hobbys und Wünsche brauche ich Zeit und Geld. Ich kann also nicht so viel arbeiten.

3 Wunschbaum im Kurs: Welche Wünsche haben Sie? Notieren Sie Ihren Wunsch/ Ihre Wünsche und ergänzen Sie den Wunschbaum.

4 Arbeiten Sie zu viert: Wie komme ich ans Ziel? Geben Sie im Kurs Tipps zu Ihren Wünschen.

- ■ Ich will unbedingt Millionär werden.
- ▲ Werde doch Manager! Dann musst du aber auch viel arbeiten.
- ■ Ich will nicht viel arbeiten. Ich brauche Zeit für meine Hobbys.
- ● Spiel doch Lotto! Vielleicht gewinnst du.

ICH BIN DER DOKTOR EISENBARTH

Johann Andreas Eisenbarth hat von 1663 bis 1727 in Deutschland gelebt. Als ‚mobiler Arzt‘ ist er mit seinen Helfern von Ort zu Ort gefahren und hat auf dem Hauptplatz seine Dienste angeboten. Er hat seine Arbeit wohl recht gut gemacht und vielen Menschen geholfen.

Etwa 80 Jahre nach seinem Tod haben Studenten ein lustiges Lied über den Doktor geschrieben. In diesem Lied ist er aber kein guter Arzt und seine Ratschläge und Therapien sind sehr schlecht für seine Patienten. Ein paar sterben sogar dabei.

Das Lied ‚*Ich bin der Doktor Eisenbarth*‘ ist in Deutschland auch heute noch sehr bekannt. Wir haben die Originalmelodie genommen, aber den Text neu geschrieben. Für uns lebt Doktor Eisenbarth noch immer und gibt seine Ratschläge jetzt per Telefon.

1
◆ Hier spricht Doktor Eisenbarth.
◎ Guten Tag! Ich brauche Ihren Rat.
  Meine Arbeit stresst mich sehr.
◆ Na gut, dann arbeiten Sie nicht mehr!

2
◆ Ja hallo? Hier ist Eisenbarth.
◎ Herr Doktor, ich brauch‘ Ihren Rat.
  Mein Bein tut weh, ich kann nicht gehen.
◆ Dann bleiben Sie doch einfach stehen!

3
◆ Hallo? Was kann ich für Sie tun?
◎ Gack-gack, ich glaub‘, ich werd‘ ein Huhn.
  Was soll ich tun? Schnell! Eins, zwei, drei …
◆ Na, was schon? … Legen Sie ein Ei!

4
◆ Hier Eisenbarth, was wollen Sie fragen?
◎ Ich möcht‘ so gern Tabletten haben.
  Ich kann nicht schlafen in der Nacht.
◆ Na schön, dann schlafen Sie halt am Tag!

Chor

Gloria, Viktoria, widewidewitt juchheirassa!
Gloria, Viktoria, widewidewitt, bum bum.

▶ 3 21 **1** **Lesen Sie den Chor-Text laut. Hören Sie dann das Lied und singen Sie mit.**

▶ 3 22 **2** **Arbeiten Sie in Gruppen. Dichten Sie neue Strophen.**
Singen Sie sie dann vor. Der ganze Kurs singt den Chor-Text.

■ Hier spricht Doktor Eisenbarth.
▲ Guten Tag! Ich brauche Ihren Rat.
  Mein Kopf tut weh, die Augen auch.
■ Dann legen Sie sich auf den Bauch.

Der hatte doch keinen Bauch! 19

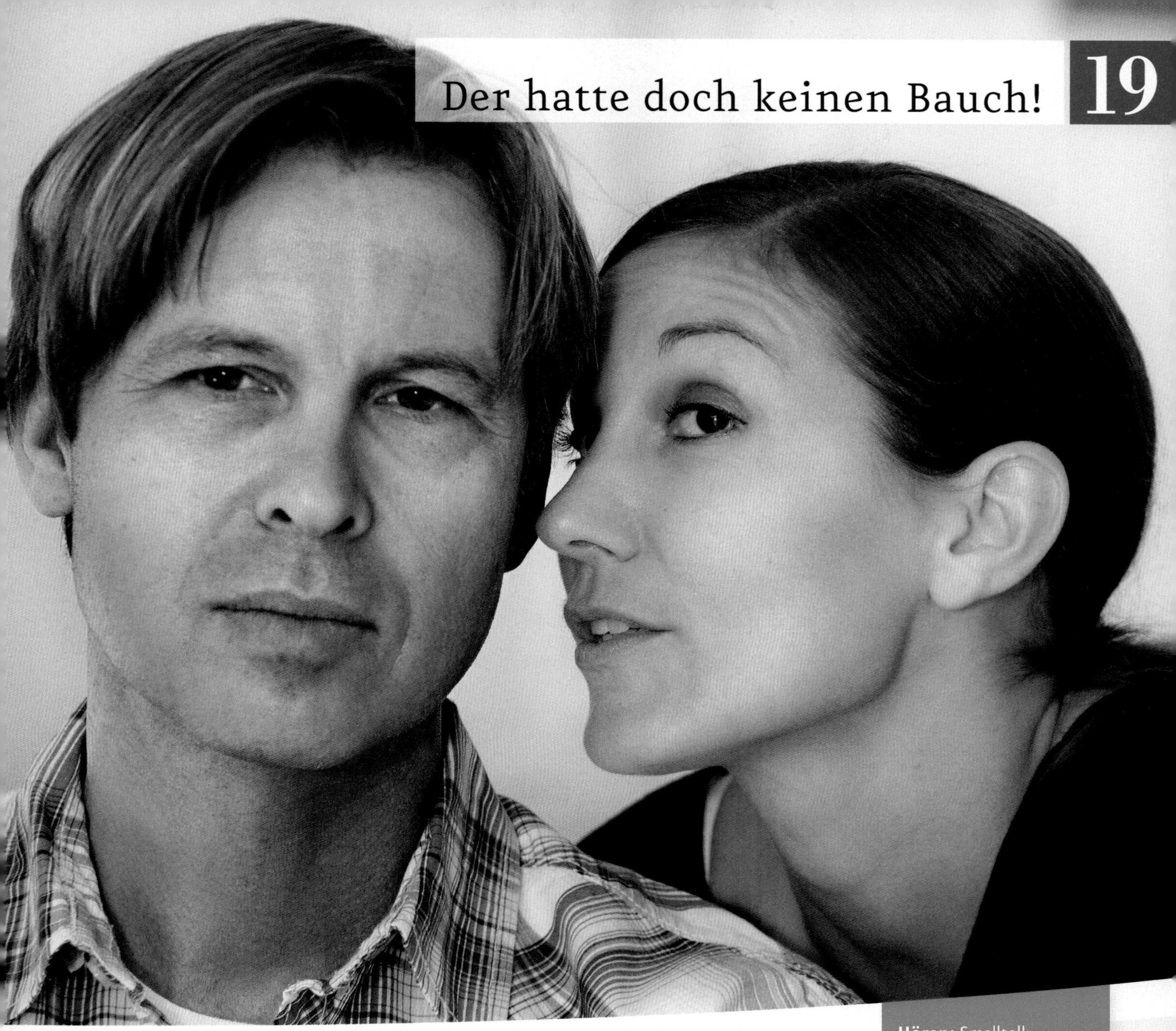

Hören: Smalltalk

Sprechen: Personen beschreiben: *Er hatte doch keinen Bart!*; erstaunt reagieren: *Echt?*

Wortfelder: Aussehen, Charakter

Grammatik: Präteritum *war, hatte*; Perfekt nicht trennbare Verben: *gefallen, bekommen …*; Wortbildung *un-*

1 Auf einer Party

▶ 3 23 **a** **Sehen Sie das Foto an und hören Sie. Was meinen Sie? Über welches Thema sprechen die beiden?**

Ich glaube, sie sprechen über …

b **Was meinen Sie: Was sagt die Frau? Was sagt der Mann?**

| • Bart | lange • Haare | kurze • Haare | blonde • Haare | braune • Haare | schwarze • Haare | graue • Haare |

▶ 3 24 **2** **Hören Sie das Gespräch weiter und kreuzen Sie an.**

a Die beiden sprechen über ○ einen Freund. ○ die Party.
b Die beiden kennen Walter ○ schon lange. ○ noch gar nicht.
c ○ Sie ○ Er war mit Walter im Schwimmbad.
d Sie haben ihn ○ in letzter Zeit oft gesehen. ○ lange nicht gesehen.

3 **So war Walter früher.**

a Wer sagt was? Ordnen Sie zu (F = Frau / M = Mann).

○ Walter war ein bisschen dick.
Er hatte einen Bart.
Er hatte keine Brille.

○ Walter hatte keinen Bauch.
Er hatte keinen Bart.
Er hatte eine Brille.

▶ 3 24 b Hören Sie noch einmal und ergänzen Sie die Tabelle.

	Präsens	Präteritum *sein*	Präsens	Präteritum *haben*
ich	bin	_____	habe	hatte
du	bist	_____	hast	hattest
er/es/sie	ist	_____	hat	_____
wir	sind	waren	haben	_____
ihr	seid	wart	habt	hattet
sie/Sie	sind	waren	haben	hatten

AB **4** **Sie sieht wirklich sympathisch aus.**

a Arbeiten Sie zu zweit. Suchen Sie eine Person aus und beschreiben Sie die Person Ihrer Partnerin / Ihrem Partner. Sie/Er rät: Wer ist das? Hilfe finden Sie im Bildlexikon.

■ Er hat einen Bart und ist ein bisschen dick.
▲ Ich glaube, das ist Walter Backes.

b Sind die Wörter positiv (+) oder negativ (–)? Ordnen Sie zu.

⊕ sympathisch | ○ nett | ○ glücklich |
○ uninteressant | ○ unsympathisch | ⊖ komisch
○ freundlich | ○ seltsam | ○ unfreundlich | ○ interessant |
○ fröhlich | ○ langweilig | ○ unglücklich/traurig | ○ hübsch

⊕ sympathisch ↔ ⊖ unsympathisch

Udo Linde
Angela Mai
Mark Klein
Kristin Stein
Walter Backes
Hannes Zeman
Jens Vogel
Helga Döring

glatte ● Haare

● Locken

dick

schlank/dünn

hübsch

hässlich

19

c Wie finden Sie die Personen auf der Zeichnung? Erzählen Sie.

■ Ich finde, Angela Mai sieht wirklich sympathisch aus. Und Hannes Zeman sieht nett aus.

▲ Findest du? Ich finde, er sieht ein bisschen langweilig aus.

5 **Personen beschreiben: früher und heute. Arbeiten Sie auf Seite 81.**
Ihre Partnerin / Ihr Partner arbeitet auf Seite 84.

Spiel & Spaß

AB **6** **Hast du schon gesehen …?**

▶ 3 25-27 **a** Was ist richtig? Hören Sie drei weitere Party-Gespräche und kreuzen Sie an.

1 Tom hat Natascha gleich erkannt. ○
Natascha hat Peter früher sehr gut gefallen. ○
2 Mark und Sylvie haben vor sechs Monaten ein Baby bekommen. ○
Leider hat Mark das Baby in einem Café vergessen. ○
Mark hat sich entschuldigt. Dann war alles in Ordnung:
Sylvie und er sind noch ein Paar. ○
3 Mike Palfinger hat eine Diskothek gehört. ○
Es gibt sie nicht mehr. Die Nachbarn haben sich beschwert. Es war zu laut. ○

Beruf

b Wie heißen die Verben im Perfekt? Ergänzen Sie.

nicht trennbare Verben	
Infinitiv	**Perfekt (früher)**
	er/es/sie hat + …en / …t
erkennen	*erkannt*
gefallen	_____
bekommen	_____
vergessen	_____
entschuldigen	_____
gehören	_____
beschweren	_____

GRAMMATIK

GRAMMATIK

Leider hat Mark das Baby in einem Café vergessen.

AB **7** **Ihre (Lügen-)Geschichte**

a Notieren Sie Stichpunkte zu Ihrem Leben. Aber: Eine Sache ist falsch.

in Paris geboren /
Vater: hatte eine Bäckerei,
Mutter: Hausfrau /
3 Brüder, 3 Schwestern …

b Arbeiten Sie zu dritt. Erzählen Sie
den anderen Ihre Geschichte.

Ich bin in Paris geboren.
Mein Vater hatte eine
Bäckerei, meine Mutter …

c Die anderen raten: Was ist falsch in Ihrer Geschichte?

■ Ich glaube, du hast nicht so viele Geschwister.
▲ Doch!
■ Aber dein Vater hatte keine Bäckerei, oder?
▲ Das stimmt, er war Architekt.

SPRECHTRAINING

AB **8** **Erstaunt reagieren**

▶ 3 28-30 **a** **Was passt? Hören Sie die Party-Gespräche noch einmal und ergänzen Sie.**

Ach komm! | Ach du liebe Zeit! | Ach was! | Echt? | Wahnsinn!

1 ■ Doch, das ist Walter!
  ▲ _____! Walter hatte auch keinen Bart.
  ■ Was sagst du da? Natürlich hatte er einen Bart. ...
  ■ Wann war das denn?
  ▲ Vor acht Jahren vielleicht.
  ■ _____. Da hatten wir ja schon keinen Kontakt mehr.
  ▲ Oh, jetzt hat er uns gesehen! Er kommt.
  ■ _____. Er ist es wirklich. ...

2 ■ Mark hat sich tausendmal entschuldigt. Aber Sylvie will nicht mehr mit ihm zusammen sein. Und Mark wohnt jetzt wieder bei seinen Eltern.
  ▲ _____!
  ...

3 ■ Das ist diese Luxus-Disco in Grünwald, oder?
  ▲ Das war sie. Es gibt sie nämlich nicht mehr.
  ■ _____? Warum denn nicht?

b **Spielen Sie zu dritt kleine Party-Gespräche. Person A erzählt etwas über eine Prominente / einen Prominenten. B und C reagieren erstaunt.**

  ■ Habt ihr schon gehört? Brad Pitt ist wieder Single!
  ▲ Ach komm! / ● Ach, du liebe Zeit!

GRAMMATIK

Präteritum: *sein* und *haben*

	Präsens	Präteritum	Präsens	Präteritum
ich	bin	war	habe	hatte
du	bist	warst	hast	hattest
er/es/sie	ist	war	hat	hatte
wir	sind	waren	haben	hatten
ihr	seid	wart	habt	hattet
sie/Sie	sind	waren	haben	hatten

Perfekt: nicht trennbare Verben

Infinitiv	Präsens (heute)	Perfekt (früher)
		haben + be/ge/ver...en/t
erkennen	er/sie erkennt	er/sie hat erkannt
bekommen	er/sie bekommt	er/sie hat bekommen

auch so: gefallen – gefallen, vergessen – vergessen, entschuldigen – entschuldigt, beschweren – beschwert

auch so nach: ent-, emp-, miss-, zer-

Wortbildung: Adjektive mit un-

☺ sympathisch ↔ ☹ unsympathisch

KOMMUNIKATION

Personen beschreiben: Aussehen und Charakter

Er ist (ein bisschen) dick/schlank/...
Er hat blonde/dunkle/lange/kurze Haare.
Er hat (k)einen Bart / (k)eine Brille / ...
Er sieht nett/sympathisch/lustig/
  interessant/... aus.

über Vergangenes sprechen

Früher war sie Sekretärin/...
Früher hatte er lange Haare / ...
Sie haben vor zwei Jahren ein Baby
  bekommen / ...

erstaunt reagieren

Ach komm! | Ach du liebe Zeit! | Ach was! |
Echt? | Wahnsinn!

Audiotraining

Karaoke

1 Sehen Sie das Foto an. Was meinen Sie: Was macht das Mädchen gerade?

▶ 3 31 **2** Was ist richtig? Hören Sie und kreuzen Sie an.

Line ...
1 hatte heute ◯ einen schlechten ◯ einen guten Tag.
2 schreibt ◯ einen Brief. ◯ Tagebuch.
3 ◯ soll ◯ soll nicht runterkommen.

3 Schreiben Sie Tagebuch oder haben Sie früher Tagebuch geschrieben? Erzählen Sie.

Sprechen: Bitten und Aufforderungen: *Deck bitte den Tisch.*

Lesen: Tagebucheintrag

Schreiben: E-Mail

Wortfeld: Aktivitäten im Haushalt

Grammatik: Imperativ *(du/ihr): Mach dein Bett!;* Personalpronomen im Akkusativ: *mich, dich, ihn, ...*

AB **4 Was hat Line geschrieben?**

a Lesen Sie Lines Tagebucheintrag und markieren Sie im Text: Was soll Line im Haushalt alles machen? Hilfe finden Sie im Bildlexikon.

Donnerstag, 21. Juni
Mama ist doch nicht normal, oder? Immer ruft sie Melanie und mich: „Na los! Schlaft doch nicht so lange! Seid nicht so faul! Deckt doch jetzt endlich den Tisch! Bringt doch auch mal den Müll raus! Räumt die Spülmaschine aus!" So geht das den ganzen Tag. Das nervt total. Und sie muss natürlich nie ‚bitte` sagen, das müssen nur wir.

Gestern hat mich Yannick besucht. Wir sind gerade in meinem Zimmer und reden so und was macht sie? Sie kommt einfach rein: „Vergiss ja deine Hausaufgaben nicht! Und mach endlich dein Bett!"
Mann, das war so peinlich!
Keine andere Mutter ist so, nur Mama. Oh nein! Da ruft sie mich schon wieder! Was will sie denn jetzt? Sicher soll ich mein Zimmer aufräumen oder das Bad putzen. Mist!

b Wer soll was tun? Lesen Sie noch einmal und kreuzen Sie an. Ergänzen Sie dann die Tabelle.

	Line	Line und Melanie
Seid nicht so faul!	○	⊗
Schlaft nicht so lange!	○	○
Deckt den Tisch!	○	○
Vergiss deine Hausaufgaben nicht!	○	○
Bringt den Müll raus!	○	○
Räumt die Spülmaschine aus!	○	○
Mach dein Bett!	○	○

Imperativ	du	ihr	
decken	Deck den Tisch!	_____ den Tisch!	*auch so:* machen
schlafen	Schlaf ...!	_____ ...!	
vergessen	_____ ...!	Vergesst ...!	
aus·räumen	Räum ... aus!	_____ ... aus!	*auch so:* raus·bringen
! sein	Sei ...!	_____ ...!	
! haben	Hab ...!	Habt ...!	

20

● Spülmaschine aus·räumen   ● Bad putzen   ● Fenster putzen   ● Boden wischen   staubsaugen   ● Zimmer auf·räumen   ● Bett machen

5 Wer hat das beste Gedächtnis?

Sehen Sie das Bildlexikon zwei Minuten lang an und schließen Sie dann das Buch.
Wie viele Tätigkeiten aus dem Bildlexikon wissen Sie noch? Notieren Sie.
Vergleichen Sie im Kurs. Gewonnen hat, wer die meisten Tätigkeiten notiert hat.

6 Bewegungsspiel: Formulieren Sie Bitten mit den Ausdrücken im Bildlexikon. Die anderen machen Pantomime.

1 Bitte mit „du": Ihre rechte Nachbarin / Ihr rechter Nachbar macht die passende Bewegung.
2 Bitte mit „ihr": Der ganze Kurs macht die passende Bewegung.

Putzt bitte die Fenster.

AB 7 In der Wohngemeinschaft

a Lesen Sie die Notiz. Was passt zusammen? Ordnen Sie zu.

> Hi Sara,
> so, jetzt bin ich für eine Woche nicht da. Hier noch ein paar Informationen:
> 1 Die Wäsche ist fertig.
> 2 Das Bad war sehr schmutzig.
> 3 Auf dem Anrufbeantworter war ein Anruf von Peter.
> 4 Habt Ihr (Du und Stephan) morgen Zeit?
> 5 Meine Fenster sind alle noch auf.
> 6 Ich komme nächsten Mittwoch um 10.00 Uhr am Bahnhof an.
>
> A Ich habe es noch schnell geputzt. Jetzt ist es ganz sauber. ☺
> B Miriam möchte Euch zu ihrem Geburtstag einladen.
> C Kannst Du mich vielleicht abholen? Ich habe so viel Gepäck.
> D Ruf ihn doch bitte zurück.
> E Sei doch so lieb und häng sie bitte auf. Ich hab's nicht mehr geschafft.
> F Kannst Du sie heute Abend bitte zumachen?
>
> Bis nächste Woche und liebe Grüße
> Alex

1	2	3	4	5	6
E					

b Ergänzen Sie. Wer/Was ist *es*, …?

A es: das Bad
B euch: _____
C mich: ich
D ihn: _____
E sie: _____
F sie: _____

c Ergänzen Sie die Tabelle.

Personalpronomen

Nominativ	Akkusativ
ich	_____
du	dich
er/es/sie	_____ / _____ / _____
wir	uns
ihr	_____
sie/Sie	_____ / Sie

8 Jemanden auffordern: Putz es doch bitte! Arbeiten Sie auf Seite 83.

siebenundvierzig | 47   Modul 7

20 SCHREIBTRAINING

AB **9** **Der perfekte Mitbewohner**

a Lesen Sie die Anzeige und die E-Mail und kreuzen Sie an.

Supergünstiges WG-Zimmer in Traumwohnung!!!
Miete: 250,00 Euro (inkl. Nebenkosten)
Zimmergröße : 20 m² | Balkon/Terrasse: ✓ | frei ab: 1.10.
Bist du ordentlich? Und putzt du auch freiwillig mal
Bad und Küche?
Ich (Franzi, 28 J.) biete günstiges WG-Zimmer in
HH-Stadtzentrum.
Kontakt: Franzi.redder@rts.de

Hallo Franzi,
die Wohnung sieht ja toll aus!
Ich heiße Gert, bin 27 Jahre alt und
studiere Architektur. Und ich bin sehr
ordentlich und putze oft und gründlich ☺!
Ich koche auch wahnsinnig gern. Dein
perfekter Mitbewohner also ☺!
Ich freue mich schon auf Deine Antwort.
Viele Grüße
Gert

1 Franzi sucht einen
  ○ ordentlichen ○ netten Mitbewohner.
2 Das WG-Zimmer ist
  ○ sehr teuer. ○ sehr billig.
3 Gert arbeitet
  ○ gern ○ gar nicht gern im Haushalt.

b Was machen Sie gern im Haushalt?
Notieren Sie drei bis vier Tätigkeiten.
Sie suchen auch ein Zimmer. Schreiben
Sie eine E-Mail an Franzi.

Liebe | Hallo …
Die Wohnung / Das Zimmer sieht sehr schön/toll aus /…
Ich heiße … und arbeite als … / bin …
Ich bin sehr ordentlich.
Ich hasse Unordnung/Dreck.
Ich … wahnsinnig/sehr gerne.
Ich kann sehr gut …
Viele/Liebe Grüße

GRAMMATIK

Imperativ (du / ihr)

	du	ihr
decken	Deck …!	Deckt …!
schlafen	Schlaf …!	Schlaft …!
vergessen	Vergiss …!	Vergesst …!
aus⎸räumen	Räum … aus!	Räumt … aus!
❗ sein	Sei …!	Seid …!
❗ haben	Hab …!	Habt …!

Personalpronomen im Akkusativ

Nominativ	Akkusativ
ich	mich
du	dich
er/es/sie	ihn/es/sie
wir	uns
ihr	euch
sie/Sie	sie/Sie
Ich komme um 10 Uhr an. Holst du mich bitte ab?	

KOMMUNIKATION

Bitten und Aufforderungen

Spül (bitte) das Geschirr!
Deckt (bitte) den Tisch!
Komm (bitte) sofort runter da!
Sei doch so lieb und …
Ruf ihn doch bitte zurück.

Diktat

Audiotraining

Karaoke

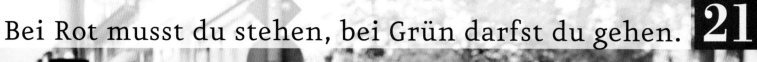

Sprechen: seine Meinung sagen: *Das finde ich nicht so schlimm!;* über Regeln sprechen: *Hier darf man nicht rauchen.*

Lesen: Zeitungskolumne

Wortfeld: Regeln in Verkehr und Umwelt

Grammatik: Modalverben *dürfen, müssen*

▶ 3 32 **1** **Sehen Sie das Foto an und hören Sie.**
Was passiert hier? Erzählen Sie.

Da sind ein Mann und
ein Kind ...

2 **Was machen Sie bei einer roten Ampel ...**

... als Fußgänger?
... als Fahrradfahrer?
... als Autofahrer?

■ Zu Fuß gehe ich manchmal bei Rot über die Ampel.
▲ Wirklich? Ich nicht. Ich bleibe bei Rot immer stehen.

Picknick erlaubt Reiten erlaubt Zelten erlaubt Handys erlaubt Hunde erlaubt Baden erlaubt

AB **3** **Regeln, Regeln, Regeln …**

a Lesen Sie nur die Überschrift und den ersten Satz. Was meinen Sie?

Christoph Richter ist ○ für ○ gegen viele Regeln in unserem Leben.

b Lesen Sie nun den ganzen Text. War Ihre Vermutung in **a** richtig?

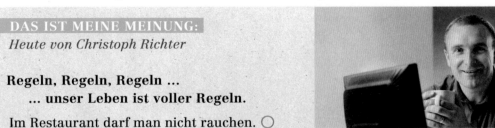

DAS IST MEINE MEINUNG:
Heute von Christoph Richter

Regeln, Regeln, Regeln …
  … unser Leben ist voller Regeln.

Im Restaurant darf man nicht rauchen. ○

Im Flugzeug darf man nicht telefonieren. Na schön, das kann man ja noch verstehen. ○

Aber warum muss man in vielen Parks auf dem Weg bleiben? Warum darf man nicht auf die Wiese gehen? ○

Warum muss man als Mofafahrer einen Helm tragen und als Radfahrer nicht? ○

Warum muss man in der Bibliothek leise sein? ①

Warum darf man im Bus nicht essen? ○

Warum darf mein Hund nicht mit in das Geschäft? ○

Muss man denn wirklich ALLES regeln?

c Lesen Sie noch einmal. Welches Schild passt zu welchem Satz in **b**? Ordnen Sie zu.
Hilfe finden Sie im Bildlexikon.

Spiel & Spaß

① ② ③ ④ ⑤ ⑥ ⑦

GRAMMATIK

	müssen	**dürfen**
ich	muss	darf
du	musst	darfst
er/sie/man	muss	darf
wir	müssen	dürfen
ihr	müsst	dürft
sie/Sie	müssen	dürfen

GRAMMATIK

Man muss leise sein.
Man darf nicht essen.

INFO

✗ darf nicht
✓ darf
! muss

AB **4** **Regeln im Straßenverkehr: *dürfen* oder *müssen*? Ergänzen Sie in der richtigen Form.**

interessant?

a Motorradfahrer *müssen* immer einen Helm tragen.

b Autofahrer _____ immer den Gurt anlegen.

c Manchmal _____ man nicht hupen, zum Beispiel in der Nähe von Krankenhäusern.

	tragen
ich	trage
du	trägst
er/sie	trägt

INFO

d Sie wollen nach links fahren? Das _____
Sie hier nicht. Sie _____ geradeaus fahren.

e Und hier _____ Autos, Motorräder und
Fahrräder gar nicht fahren.

AB **5** **Welche Regeln aus dem Text in 3 finden Sie gut, welche nicht? Erzählen Sie.**

■ Im Flugzeug darf man nicht telefonieren.
Das finde ich richtig. Das ist gefährlich.
▲ Das finde ich auch richtig.
● Ich verstehe das nicht. Das kann doch
nicht so gefährlich sein.

☹ falsch / nicht in Ordnung	☺ richtig / in Ordnung
nicht so / gar nicht gut	nicht (so) schlimm
(sehr) gefährlich	nicht (so) gefährlich

KOMMUNIKATION

AB **6** **Im Park**

Spiel & Spaß

**Sehen Sie das Bild an und sprechen Sie. Was darf man hier (nicht)?
Was muss man? Hilfe finden Sie auch im Bildlexikon.**

langsam fahren | auf Kinder achten | Hunde an die Leine nehmen | Fahrrad schieben |
auf der Wiese sitzen | Fahrrad fahren | telefonieren | essen | parken | über die
Straße gehen | Wasser trinken | ...

Das ist verboten. = Das darf man nicht.
Das ist erlaubt. = Das darf man.

INFO

> Der Mann hier fährt Fahr-
> rad. Man darf aber im Park
> nicht Fahrrad fahren. Das
> ist verboten. Man muss das
> Fahrrad schieben.

AB **7** **Mal ehrlich: Welche Regeln akzeptieren Sie? Arbeiten Sie zu zweit auf Seite 85.**

Beruf

Diktat

8 Die Regeln in „Glückstadt"

a Sie leben in Glückstadt. Arbeiten Sie in Gruppen und bestimmen Sie die Regeln für Ihre Stadt. Was darf man (nicht)? Was muss man? Machen Sie ein Plakat.

Willkommen in Glückstadt!

Das darf man nicht	Das darf man	Das muss man
zu viel arbeiten vor acht Uhr aufstehen	immer Partys feiern	jeden Monat eine Woche Urlaub machen

b Stellen Sie den anderen Gruppen Ihre Stadt vor.
Stimmen Sie ab: In welcher Stadt möchten Sie leben?

Bei uns darf man nicht zu viel arbeiten.
Aber man darf immer ...

Audiotraining   Karaoke

GRAMMATIK

Modalverben *dürfen* und *müssen*

	dürfen	müssen
ich	darf	muss
du	darfst	musst
er/es/sie	darf	muss
wir	dürfen	müssen
ihr	dürft	müsst
sie/Sie	dürfen	müssen

Modalverben im Satz

Man muss in der Bibliothek leise	sein.
Man darf im Bus nicht	essen.

KOMMUNIKATION

über Regeln sprechen

Hier darf man (nicht) rauchen/...
Motorradfahrer müssen einen Helm tragen.
Das ist (nicht) verboten.
Das ist (nicht) erlaubt.

seine Meinung sagen: Das finde ich ...

☹	☺
falsch / nicht in Ordnung nicht so / gar nicht gut (sehr) gefährlich	richtig / in Ordnung nicht (so) schlimm nicht (so) gefährlich

Montagmorgen, 06.38 Uhr

Es ist ruhig im U-Bahn-Waggon. Die meisten Fahrgäste sehen ziemlich müde aus. Wer sind die Leute? Woher kommen sie? Wohin fahren sie? Ich hole das Mikro aus der Tasche und schalte mein Aufnahmegerät ein:

5 „Entschuldigung? Darf ich mal was fragen?"

Mein Name ist Adem Yilmaz. Ich bin 28 Jahre alt und arbeite in der Universitätsklinik als Krankenpfleger. Gerade komme ich von der Arbeit. Der Nachtdienst beginnt pünktlich um halb zehn Uhr abends: Die Kollegen vom Spätdienst wollen nach Hause. Vorher informieren sie uns über die Situation auf der Station. Wir müssen dann alle zwei Stunden nach den Patienten sehen. Manche bekommen 15 Medikamente, manche muss man von einer Seite auf die andere legen, die frisch Operierten muss man besonders genau kontrollieren. Aber auch sonst gibt es viel Arbeit: man muss Pflegeberichte schreiben, man muss alles sauber halten und so 20 weiter. Von halb zwei bis zwei haben wir Pause. Um diese Zeit bin ich immer total müde. Dann sag ich mir: Junge, schlaf bloß nicht ein! Naja, gleich bin ich zu Hause. Dort darf ich schlafen.

Ich bin Marlies Kretschmann, 34 Jahre alt und 25 Polizeibeamtin. Gerade habe ich meinen Sohn Jonas in den Kindergarten gebracht. Jetzt bin ich auf dem Weg zur Arbeit. Unser Frühdienst beginnt normaler- 30 weise um sechs Uhr, aber diese Woche muss ich erst um sieben Uhr anfangen. Ich bin Polizeiobermeisterin und arbeite in der Dienststelle und draußen im Streifendienst. In der Dienststelle muss man viel Schreibarbeit machen. Im Streifendienst ist man 35 mit einem Kollegen oder einer Kollegin im Stadtteil unterwegs. Diese Arbeit gefällt mir besonders gut. Da lernt man das Leben und die Menschen kennen. Manche Kollegen kommen in Uniform zum Dienst, ich ziehe mich erst auf der Wache um. Den Früh- 40 dienst mag ich besonders gern. Da habe ich um 13 Uhr schon Dienstschluss und kann Jonas vom Kindergarten abholen.

Ich heiße Markus Hirsch, bin 46 Jahre alt und selbstständig. Vielleicht ken- 45 nen Sie mich ja unter meinem Künstlernamen Argor Zafran. Ich bin Zauberer. Vor etwa einer halben Stunde bin ich mit dem Nachtzug aus Rom am Hauptbahnhof angekommen. Um acht Uhr muss 50 ich im Messezentrum sein. Dort soll ich ab 9 Uhr auf dem ‚7. Europäischen Magier- und Illusionistentreffen' meine neue Show vorstellen. Danach muss ich gleich weiter zum Flughafen. Um 12:50 Uhr startet mein Flugzeug nach Rotterdam. Dort checke ich 55 heute Nachmittag auf der ‚Lady Amanda' ein. Das ist ein Luxus-Schiff und mit dem mache ich eine Fahrt in die Karibik. Ich muss nur dreimal im Showprogramm mitmachen. Der Rest ist für mich Urlaub. Und dafür bekomme ich auch noch Geld. Herrlich!

1 **Lesen Sie den Text und markieren Sie:**

Wer sind die Personen? | Was ist ihr Beruf? | Woher kommen sie? | Wohin fahren sie?

2 **Und Sie? Was erzählen Sie am Montagmorgen in der U-Bahn?**
Machen Sie Notizen zu den Fragen in 1 und erzählen Sie.

▶ Clip 19 **1** **Bach war dick. – Wie waren die Personen? Sehen Sie den Film und ergänzen Sie.**

a Wilhelm Friedemann Bach war

_____.

b Carl Phillipp Emanuel Bach

_____.

c Friedrich Schiller

_____.

d Mozart _____.

▶ Clip 20 **2** **Generationen miteinander. – Was ist richtig?**
Sehen Sie die Reportage und kreuzen Sie an.

a Linus soll ○ Obst ○ Brot ○ Käse mitbringen.

b Linus hilft seiner Oma.
○ Er räumt auf. ○ Er geht einkaufen.
○ Er fährt mit ihr zum Arzt.

c Die Oma möchte
○ in ihrer eigenen Wohnung bleiben.
○ bei ihrer Tochter wohnen.

d Linus soll
○ seine Oma morgen anrufen.
○ seine Oma morgen besuchen.
○ morgen für seine Oma einkaufen.

▶ Clip 21 **3** **Boote verboten! – Sehen Sie den Musikclip und ergänzen Sie.**

anlehnen | spazieren gehen | gehen | gehen | mitnehmen

a Man darf abends nicht auf das
Grundstück _____.

b Man darf hier keine Boote und
Surfbretter _____.

c Man darf hier kein Fahrrad _____.

d Man darf hier nicht über die Gleise

_____.

e Man darf hier mit dem Hund nicht _____.

1 **Was ist richtig? Lesen Sie das Porträt und kreuzen Sie an.**

DJ Ötzi – Entertainer und Musiker

DJ Ötzi (eigentlich Gerhard Friedle) ist Entertainer und Musiker. Er kommt aus Österreich und ist am 7. Januar 1971 in St. Johann in Tirol geboren. Der Schlagersänger wächst bei seiner Großmutter auf und macht zunächst eine Ausbildung als Koch. Mitte der 90er Jahre entdeckt man ihn bei einem Karaoke-Wettbewerb. Danach arbeitet er als Animateur, Sänger und DJ in Österreich, auf Mallorca und in der Türkei. 1999 wird DJ Ötzi mit dem Hit „Anton aus Tirol" im deutschsprachigen Raum bekannt. Der internationale Durchbruch folgt im Jahr 2000 mit dem Coversong „Hey Babe". Über 16 Millionen CDs hat der Sänger weltweit verkauft. Erkennen kann man DJ Ötzi an seiner weißen Mütze. Nur selten sieht man ihn ohne sie. Inzwischen tragen auch viele Fans weiße Strickmützen. Nicht nur der Erfolg, auch die Familie ist DJ Ötzi wichtig. 2001 heiratet er die Musikmanagerin Sonja Kein und 2002 kommt die gemeinsame Tochter Lisa-Marie zur Welt.

STECKBRIEF

Künstlername:	DJ Ötzi
bürgerlicher Name:	Gerhard Friedle
Geburtsdatum:	07.01.1971
Geburtsort:	St. Johann (Tirol / Österreich)
Familienstand:	verheiratet, eine Tochter
Körpergröße:	1,83
Haarfarbe:	blond (gefärbt)
Augenfarbe:	braun

a DJ Ötzi ist
○ als Koch
○ als Musiker
○ als Urlauber-Animateur
bekannt.

b Man kennt DJ Ötzi
○ nur in Österreich.
○ nur im deutschsprachigen Raum.
○ auch im Ausland.

c Man erkennt DJ Ötzi
○ an seinen braunen Augen. ○ an seinem Bart. ○ an seiner weißen Mütze.

2 **Prominente aus den deutschsprachigen Ländern**

a Wählen Sie einen Prominenten aus den deutschsprachigen Ländern.
Schreiben Sie ein Porträt wie in 1 und suchen Sie auch ein passendes Foto.

> Heike Makatsch ist Schauspielerin.
> Sie kommt aus Deutschland und ist
> am 13.08.1971 in Düsseldorf geboren ...

b Alle Kursteilnehmer hängen ihre Fotos an eine Wand.
Präsentieren Sie Ihre Person im Kurs. Können die
anderen Kursteilnehmer das richtige Foto finden?

> Meine Person ist Schauspielerin.
> Sie ist ... geboren und ...

Der Bitte-Danke-Walzer

1

Entschuldigung? … Sie verzeihen?
Dürfen wir mal eben hier vorbei?
Sehr freundlich! … Herzlichen Dank!

Herr Ober? Sagen Sie, ist hier noch frei?
Wir möchten einen Tisch für zwei.
Natürlich. … Bitte, nehmen Sie Platz!

Was darf ich Ihnen bringen?
Jawohl. … Sehr gern. … Vielen Dank!
Oh, ein Walzer! … Darf ich bitten?
Schenken Sie mir diesen Tanz?

2

Darf ich Sie etwas fragen?
Können Sie mir bitte sagen:
Wie spät ist es jetzt?

Aber natürlich. … Kein Problem.
Es ist gerade Null Uhr zehn.
Dankeschön! … Bitte! Gern geschehen.

Müssen Sie wirklich schon gehen?
Bitte, bleiben Sie noch etwas hier!
Machen Sie mir doch die Freude …
und tanzen den nächsten
Walzer noch mit mir.

3

Ach nein, es tut mir wirklich leid:
Ich habe leider keine Zeit mehr.
Ich muss jetzt nach Hause gehen.

Wie schade! … Vielleicht nächstes Mal?
Sehr gern … Ja, auf jeden Fall.
Na schön … dann also: Bis bald?

Es hat mich sehr gefreut.
Der Abend mit Ihnen war schön.
Mir hat es auch gut gefallen.
Ich freu' mich auf ein Wiedersehen!

▶ 3 33 **1** **Hören Sie das Lied und lesen Sie den Text. Wer spricht mit wem? Wo sind die Personen?**

2 **Lesen Sie den Text noch einmal und ergänzen Sie die Tabelle.**
Vergleichen Sie dann mit Ihrer Partnerin / Ihrem Partner.

um etwas bitten	auf Bitten reagieren		sich bedanken	auf Dank reagieren
Entschuldigung?	Natürlich.		Sehr freundlich!	Bitte!

▶ 3 33 **3** **Hören Sie das Lied noch einmal und singen Sie mit.**

1 Wohin geht er wohl?

▶ 3 34 **a** Sehen Sie das Foto an und hören Sie. Was ist richtig? Kreuzen Sie an.

1 Wie findet die Mutter Fabians Kleidung?
○ Sie gefällt ihr.   ○ Sie gefällt ihr nicht.

2 Wie findet Fabian die Reaktion seiner Mutter?
○ Gut.   ○ Nicht so toll.

b Wie finden Sie Fabians Kleidung? Wohin geht Fabian? Was meinen Sie?

> Ich finde die Kleidung
> seltsam. Ich glaube, Fabian
> geht zum Karneval.

Hören/Sprechen: über Kleidung sprechen und sie bewerten: *Am besten sind seine Schuhe!*; Aussagen verstärken: *Total schön.*

Lesen: Forumsbeiträge

Wortfeld: Kleidung

Grammatik: Komparation: *gut, besser, am besten*; Vergleiche: *Das Hemd gefällt ihr besser als die Hose.*

| Schuhe | Hose | Hemd | T-Shirt | Mantel | Bluse | Strumpfhose | Jacke |

AB | 2 Kleidung

a Was kaufen Sie wie oft? Sehen Sie ins Bildlexikon / ins Wörterbuch und notieren Sie.

	oft	manchmal	(fast) nie
Röcke			

Spiel & Spaß

b Ratespiel: Alle schließen die Augen. Eine/r wählt eine Person und beschreibt: Was hat diese Person an? Die anderen raten.

■ Meine Person hat eine Hose und einen Pullover an. Die Hose ist blau.
▲ Ist das Martin?
■ Nein. Der Pullover ist …

▶ 3 35
AB

3 Super Kostüm!

a Was ist richtig? Hören und markieren Sie.

1 Fabian ist auf einem Konzert / einer Party.
2 Die Kleidung soll hässlich / schön sein.

noch einmal?

b Hören Sie noch einmal und ergänzen Sie die Namen unter dem Foto.

~~Fabian~~ | Harry | Jana | Jasmin | Vera

- beige
- lila
- rosa
- golden

INFO

_____ _____ Fabian _____ _____

AB | 4 Am besten sind seine Schuhe!

a Wie finden Maike und Elena die Kostüme? Lesen Sie die Tabelle und ergänzen Sie.

Am besten | Am liebsten | besser | gern | ~~gut~~ | lieber

1 Maike findet Fabians Kostüm _gut_ (+).
2 Das Hemd gefällt ihr _____ (++) als die Hose.
3 _____ (+++) findet sie seine Schuhe.
4 Elena mag Lila genauso _____ (+) wie Rosa.
5 Maike mag _____ (+ +) Beige als Lila.
6 _____ (+++) mögen Elena und Maike Golden.

GRAMMATIK

+	++	+++
gut	besser	am besten
gern	lieber	am liebsten

Vergleiche

Lila (+) mag sie genau**so** gern **wie** Rosa (+).
Beige (+ +) mag sie lieber **als** Rosa (+).

b Schreiben Sie Sätze zu dem Foto in 3. Wie viele Sätze finden Sie in 5 Minuten?

Ich mag Janas Kostüm am liebsten.
Ich finde Harrys Hut genauso gut wie Jasmins Mütze.
Veras Kleid gefällt mir besser als Jasmins Kleid.

AB **5** **Mein Lieblings-T-Shirt**

interessant?

a Arbeiten Sie in Gruppen und lesen Sie die Texte im Forum. Schreiben Sie drei Fragen und geben Sie sie einer anderen Gruppe. Sie beantwortet die Fragen.

> 1 Hat Marco ein Lieblings-T-Shirt?
> 2 ...

Mein Lieblings-T-Shirt

Marco:
Ich habe nicht nur ein Lieblings-T-Shirt.
Aber dieses hier finde ich zurzeit am lustigsten. Wie ihr sehen könnt, ist es schon ziemlich alt. Ich habe es viel getragen und natürlich auch oft gewaschen. Aber es gefällt mir immer noch total gut. Und am meisten mag ich an dem T-Shirt: In ihm habe ich meine Freundin kennengelernt.   *7. Juli um 21:06*

Fred: Stimmt, der Text auf dem T-Shirt ist toll! Aber schau mal, dieses T-Shirt finde ich noch lustiger als deins.   *8. Juli um 19:21*

Tom: Klasse, Fred! 👍 Dein T-Shirt ist ja noch älter als das von Marco! Und das Foto ist cool und die Farbe auch noch schöner als bei Marco ;-).   *8. Juli um 19:35*

Spiel & Spaß

b Lesen Sie die Texte noch einmal und markieren Sie die Adjektive. Ergänzen Sie dann.

GRAMMATIK

+	++ -er	+++ am ... -(e)sten
lustig	_____	_____
schön	_____	am schönsten
! alt	_____	am ältesten
! groß	größer	_____
! klug	_____	am klügsten
! viel	mehr	*am meisten*

6 **T-Shirt-Werkstatt: Welches T-Shirt ist am schönsten?**

a Entwerfen Sie zu zweit Ihr eigenes T-Shirt. Wie sieht es aus? Schreiben und malen Sie.

b Machen Sie eine Ausstellung im Kurs. Welches T-Shirt gefällt Ihnen am besten?

■ Welches T-Shirt findest du am schönsten?
▲ Das hier. Und du?
■ Mir gefällt das besser. Die Farben sind schöner.

Diktat

7 **Kleidung beschreiben: Mein Lieblings-Kleidungsstück. Arbeiten Sie auf Seite 86.**

AB **8** **Das ist *wahnsinnig* hässlich!**

▶ 3 36

Film

a Hören Sie noch einmal und ergänzen Sie. Sprechen Sie dann nach und achten Sie auf die Betonung.

richtig | total | wahnsinnig

- Und seine Strümpfe sehen auch _____ billig aus.
- ▲ Das ist alles so _____ schön golden.
- _____ lustig!

> ☺
> Das ist lustig!
> ☺ ☺ ☺
> Das ist total/richtig/wahnsinnig lustig!
>
> INFO

b Sehen Sie in eine Zeitschrift oder einen Katalog. Wie finden Sie die Kleidung?

- Wow, hast du das Kleid schon gesehen? Total schön.
- ▲ Was? Das gefällt dir? Das ist doch wahnsinnig langweilig.
- ● Aber seht mal, das hier ist richtig toll.

GRAMMATIK

Audiotraining | Karaoke

Komparation: *gut, gern, viel*

Positiv	Komparativ	Superlativ
+	++	+++
gut	besser	am besten
gern	lieber	am liebsten
viel	mehr	am meisten

Komparation: andere Adjektive

Positiv	Komparativ	Superlativ	
+	++ + -er	+++ am ...-(e)sten	
lustig	lustiger	am lustigsten	
alt	älter	am **ält**esten	-d/-t/ -s/-z: + **est**en
groß	größer	am **größ**ten	
klug	klüger	am **klüg**sten	

oft bei einsilbigen Adjektiven:

a → ä: alt | älter | am ältesten
o → ö: groß | größer | am größten
u → ü: kurz | kürzer | am kürzesten

Vergleiche: als, wie

Lila (+) mag sie genau**so** gern **wie** Rosa (+).
Das Hemd (++) gefällt ihr besser **als** die Hose (+).

KOMMUNIKATION

Kleidung bewerten

Welches T-Shirt findest du am schönsten?
Das hier. Und du?
Mir gefällt das besser. Die Farben sind schöner.

über Kleidung sprechen

Ich habe das T-Shirt bei einem Konzert in Berlin gekauft.
Ich ziehe es oft an, zuletzt am Montag.

Aussagen verstärken

Wow, hast du das Kleid schon gesehen? Total schön.
Was? Das gefällt dir? Das ist doch wahnsinnig langweilig.
Aber seht mal, das hier ist richtig toll.

▶ 3 37 **1** **Sehen Sie das Foto an und hören Sie. Was ist richtig?**
Kreuzen Sie an.

○ Laura und Sandra sind im Urlaub. Das Wetter ist schlecht.
Laura hat schlechte Laune. Sandra gibt ihr einen Tee.

○ Laura und Sandra sind im Urlaub. Das Wetter ist nicht schlecht.
Laura hat schlechte Laune. Sandra gibt ihr ein Glas Wasser.

2 **Urlaub – und es regnet. Was machen Sie und wie geht es Ihnen?**
Erzählen Sie.

> Ich gehe in ein Café. Mit einem
> Milchkaffee und einem Stück Kuchen
> geht es mir gleich viel besser!

Sprechen: Gründe angeben: *Ich war nicht im Kino,
denn ich gehe lieber ins
Theater.*; über das Wetter
sprechen: *Es regnet und ist
bewölkt.*

Lesen: Blog

Schreiben: Postkarte

Wortfelder: Wetter,
Himmelsrichtungen

Grammatik: Wort-
bildung *-los*; Konjunktion
denn

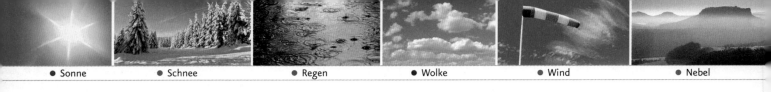

● Sonne   ● Schnee   ● Regen   ● Wolke   ● Wind   ● Nebel

AB **3** **Es regnet.**

a Sehen Sie ins Bildlexikon und notieren Sie die passenden Nomen.

1 Es regnet.   *der Regen*   5 Es ist bewölkt.   _____
2 Es schneit.   _____   6 Es ist neblig.   _____
3 Es ist sonnig.   _____   7 Es donnert
4 Es ist windig.   _____   und blitzt.

▶ 3 38–41   **b** Hören Sie. Wie ist das Wetter?
Notieren und vergleichen Sie.

> 1 Die Sonne scheint.

Spiel & Spaß

AB **4** **Sandras Problemurlaubs-Blog.**

Diktat

a Welches Foto passt? Überfliegen Sie die Texte und ordnen Sie zu.

INS WASSER GEFALLEN? *Sandras Problemurlaubs-Blog*

„Unser Urlaub ist ein Traum!" … „Das Wetter hier ist super!" … „Alles ist perfekt!"
Klingt ziemlich uninteressant, nicht? So was möchten wir selbst erleben, aber von anderen Leuten hören
oder lesen wollen wir es nicht. Und Urlaubsfotos vom Super-Badestrand möchten wir bitte auch nicht sehen.
Warum auch? Das Internet ist ja schon voll davon.

In diesem Blog sammle ich Bilder und Texte über „Problemurlaube". Ist bei Dir auch schon mal ein Urlaub so
richtig ins Wasser gefallen? Dann mach mit und schick mir Deinen Text (nicht mehr als 100 Wörter und am
besten mit Foto!).

Ⓐ Der Winter in Österreich war mal wieder viel zu lang und zu hart. Wir hatten Lust auf Frühling. Also haben
wir uns ins Wohnmobil gesetzt und sind losgefahren. Unser Ziel war Südtirol, denn dort ist es im März oft
schon so warm wie bei uns im Mai. Am ersten Tag war alles perfekt: tolles Wetter, der Himmel wolkenlos, Temperaturen zwischen 18 und 22 Grad. Bis zum späten Nachmittag haben wir auf unseren Cam-
pingstühlen in der Sonne gesessen. Am nächsten Morgen wache ich auf und denke: „Warum ist es so kalt
hier?" Ich öffne die Tür und habe die Antwort: 15 Zentimeter Neuschnee bei minus zwei Grad. „Tja" habe
ich gedacht, „da sind wir wohl nicht weit genug nach Süden gefahren." *Tom und Hanna aus Vöcklabruck*

Ⓑ Unser Sommerurlaub im Schwarzwald war unglaublich. Wir vergessen ihn sicher nie. Wir hatten eine
Ferienwohnung in einem schönen alten Haus. Unsere Zimmer waren ganz oben, direkt unter dem Dach.
Leider waren wir nur ein paar Stunden in der Wohnung, denn dann ist das Unwetter gekommen: zuerst
nur Gewitter mit Regen, aber dann ein Sturm mit bis zu 160 km/h Geschwindigkeit. Es war furchtbar. In
nur fünf Minuten war das Hausdach total kaputt. Zum Glück haben wir noch am selben Tag eine andere
Wohnung gefunden. *Familie Encke aus Köln*

Ⓒ Letztes Jahr sind wir zum Segeln an die Ostsee gefahren. Es war nur ein Kurzurlaub, aber es war wunderbar, denn wir hatten ein Traumwetter mit viel Sonne und Wind. Dieses Jahr waren wir wieder dort, hatten
aber leider Pech: fünf Tage lang kein bisschen Wind, keine Sonne, nur Nebel – alles grau und farblos. Und
das bei gerade mal sieben Grad! Zum Glück hatten wir warme Pullover und einen Reiseführer mit (ein
paar) brauchbaren Tipps dabei. Nächstes Jahr fahren wir lieber wieder in den Süden, ans Mittelmeer,
denn dort ist es auch spät im Herbst noch schön warm. *Beat, Karla und Franca aus Luzern*

● Gewitter — Es ist warm. Es sind 25 Grad. — Es ist kalt. Es sind minus (–) 2 Grad. — Es ist kühl. Es sind plus (+) 8 Grad.

b Lesen Sie den Blog noch einmal. Was ist richtig? Kreuzen Sie an.

Ⓐ 1   In Südtirol ist es im Frühjahr oft wärmer als in Deutschland. ○
  2   Nur am ersten Tag haben Tom und Hanna bei wolkenlosem
      Himmel in der Sonne gesessen. ○
  3   Auch dieses Jahr war der Frühling in Südtirol sehr warm. ○

Ⓑ 1   Familie Encke war im Sommer in einem Hotel im Schwarzwald. ○
  2   Ein Sturm hat das Dach kaputt gemacht. ○
  3   Die Familie hat nach dem Sturm in einer anderen Wohnung gewohnt. ○

Ⓒ 1   Beat, Karla und Franca waren dieses Jahr im Norden segeln. ○
  2   Das Wetter war ein Traum: sonnig und windig. ○
  3   Die Tipps aus dem Reiseführer haben sie nicht gebraucht. ○

INFO: der Norden, der Westen, der Süden, der Osten

GRAMMATIK: wolkenlos = ohne Wolken

5 Es war perfekt, denn …

a Ordnen Sie zu und vergleichen Sie dann mit den Texten A–C.

1 Unser Ziel war Südtirol,   denn wir hatten ein Traumwetter.
2 Leider waren wir nur ein paar   denn dort ist es auch im Herbst noch
   Stunden in der Wohnung,   schön warm.
3 Es war perfekt,   denn dann ist das Unwetter gekommen.
4 Nächstes Jahr fahren wir   denn dort ist es im März schon
   lieber ans Mittelmeer,   oft sehr warm.

GRAMMATIK: Warum? Es war perfekt, denn wir hatten ein Traumwetter.

**b Etwas begründen: Arbeiten Sie zu zweit. Sie arbeiten
auf Seite 86. Ihre Partnerin / Ihr Partner arbeitet auf Seite 88.**

6 Wetterassoziationen

▶ 3 42-45

a An welches Wetter denken Sie? Hören Sie und notieren Sie Stichwörter.

	1	2	3	4
Wie ist das Wetter?	kalt, Schnee …			
Was machen Sie gerade?				
…				

**b Welche Melodie / Welcher Rhythmus gefällt
Ihnen am besten? Erzählen Sie.**

Mir gefällt Nummer … am besten, denn
dabei denke ich an mein Lieblingswetter. Die
Sonne scheint und es ist nicht zu warm. Ich bin im
Urlaub in … Ich lese gerade ein Buch.

SCHREIBTRAINING

7 **Eine Postkarte aus dem Urlaub**

a Hannes hat Ihnen aus dem Urlaub
eine Postkarte geschrieben. Lesen
Sie die Karte und machen Sie Notizen.

	Hannes	ich
Ort?	auf Kreta	
Wetter?		
Aktivitäten?	Ausflüge, ...	

Liebe/r ...,
wir sind gerade auf Kreta und
haben dieses Jahr wirklich Glück,
denn das Wetter ist ein Traum.
Die Sonne scheint und es gefällt uns richtig gut.
Wir machen Ausflüge oder sind am Meer. Ein
Lieblingsrestaurant haben wir auch schon gefunden.
Dort essen wir fast jeden Abend Fisch: total lecker!
So ist das Leben wunderbar!
Bis bald und liebe Grüße
Hannes

b Jetzt sind Sie im Urlaub. Machen Sie Notizen zu den Fragen in **a**.

c Schreiben Sie nun eine Karte an Hannes.
Denken Sie auch an die Anrede und die Grußformel.

d Lesen Sie Ihre Karte noch einmal und überprüfen Sie.

1 Haben die Verben die richtige Endung?
2 Sind die Wörter richtig geschrieben? Haben Sie alle Nomen großgeschrieben?

GRAMMATIK

Wortbildung: Adjektive mit -los

	Nomen	Adjektiv
Nomen + -los	die Wolken	wolkenlos (= ohne Wolken)

Konjunktion denn

Es war wunderbar, denn wir hatten ein Traumwetter.

KOMMUNIKATION

Gründe angeben

Unser Ziel war Südtirol, denn dort ist es
im März schon oft sehr warm.
Hattest du einen schönen Urlaub?
  Ja, denn das Wetter war wunderbar.
Hast du gestern Hausaufgaben gemacht?
  Nein, denn ich hatte keine Zeit.

über das Wetter sprechen

Wie ist das Wetter?
  Es ist sonnig. | Es regnet. | Es schneit. |
  Es ist windig. | Es ist bewölkt. | Es ist
  neblig. | Es donnert und blitzt. | Die
  Sonne scheint.
  Es ist warm. Es sind 25 Grad.
  Es ist kalt. Es sind minus 2 Grad.
  Es ist kühl. Es sind plus 8 Grad.

Audiotraining

Karaoke

Ich würde am liebsten jeden Tag feiern. | 24

> **Sprechen**: Wünsche äußern: *Nach der Deutschprüfung würde ich gern ...;* gratulieren: *Herzlichen Glückwunsch!*
>
> **Lesen**: Einladungen
>
> **Wortfeld**: Feste
>
> **Grammatik**: Konjunktiv II: *Das würde ich am liebsten jeden Tag machen.;* Ordinalzahlen: *Am vierten Mai.*

▶ 3 46 **1** **Das müssen wir unbedingt feiern!**

a **Was ist richtig? Sehen Sie das Foto an, hören Sie und kreuzen Sie an.**

Nick möchte ○ Alisa zu Isabellas Überraschungsparty einladen.
        ○ sein Examen mit Alisa feiern.

Alisa   ○ hat heute Abend Zeit.
        ○ ist heute Abend schon eingeladen.

b **Hören Sie noch einmal und korrigieren Sie die Sätze.**

1 Alisa hat den Brief von Nick noch nicht gelesen. _____
2 Gestern hat Isabella ihre Prüfung mit einer Drei bestanden. _____
3 Die Überraschungsparty ist im September. _____
4 Alisa kommt ~~sicher~~ noch heute Abend.   *vielleicht*

fünfundsechzig | 65 Modul 8

● Weihnachten ● Ostern ● Silvester ● Neujahr ● Geburtstag

AB **2** **Wir würden das gern feiern.**

Diktat

a Überfliegen Sie die Texte. Welches Foto passt? Was meinen Sie? (Achten Sie auf die Kleidung.)

Ⓒ    ◯    ◯    ◯

Ⓐ
25. 12.
Dieses Jahr haben wir den Heiligen
Abend bei Tante Lissy gefeiert.
Wir, das waren Mama und Papa, Holger,
Katrin und ich. Für Katrin war es
das erste Fest in unserer Familie und
ich muss meinem Bruder wirklich
gratulieren: „Gut gemacht! Herzlichen
Glückwunsch zu deiner neuen Freundin.
Katrin ist wirklich sehr nett."

Ⓑ
Hallo Ihr alle!
Unsere liebe Freundin Isabella hat ihre Ab-
schlussprüfung bestanden! Kommt alle zur
Überraschungsparty!
Wohin: Zu Nick und Susanne
Wann: Am Freitag, den 16. Oktober, ab 20 Uhr
Getränke haben wir. Essen müsst Ihr bitte
mitbringen.

KINOGUTSCHEIN

Ⓒ
30 Jahre? Boah!
Tja Ronny, jetzt bist Du leider alt, da kann man nichts
machen. Oder doch? ☺ Ein bisschen mehr für die Fitness
tun, vielleicht? Du kannst gleich anfangen, hihi. Hoffentlich
magst Du die Hanteln! ☺ Aber auch entspannen musst Du
jetzt natürlich mehr: Hast Du am 4. Mai abends Zeit?
Ich würde Dich gern ins Kino einladen.
Herzlichen Glückwunsch!
Deine Freundin
ALISA

Ⓓ
Liebe Alisa,
wir sind glücklich und zufrieden, denn
wir haben endlich in Ismaning unser
Traumhaus mit Garten gefunden. Wir
würden das gern mit Dir feiern: bei
unserer Hauseinweihungsparty am
Samstag, den 31. Juli, ab 15 Uhr.
Kommst Du? Bitte antworte uns
bis zum 15. Juli.

Wir würden uns sehr freuen!
Tine und Alejandro

Spiel & Spaß

b Lesen Sie die Texte noch einmal und kreuzen Sie an.

	richtig	falsch
A Alisa kennt Katrin schon lange.	◯	◯
B Isabella weiß nichts von der Party.	◯	◯
C Alisa schenkt Ronny einen Gutschein für ein Fitnessstudio.	◯	◯
D Tine und Alejandro sind umgezogen.	◯	◯

AB **3 Am vierten Mai**

Spiel & Spaß

a Markieren Sie das Datum in den Texten in **2**. Ergänzen Sie dann in der passenden Form. Hilfe finden Sie in den Tabellen unten.

A Heute ist der _____ Dezember.
B Die Überraschungsparty ist am <u>sechzehnten</u> Oktober.
C Alisa möchte Ronny am _____ Mai ins Kino einladen.
D Die Einweihungsparty ist am _____ Juli.

GRAMMATIK

Heute ist der achte Januar.
1.–19.: + -te: der erste / zweite / dritte / vierte / fünfte / sechste /
siebte / achte … Mai
ab 20. + -ste: der zwanzigste / einundzwanzigste … Dezember

GRAMMATIK

Am achte**n** Januar.
Vom achte**n** bis
(zum) achtzehnte**n**
Januar.

interessant?

b Über Feste sprechen: meine drei Lieblingsfeste. Arbeiten Sie zu dritt auf Seite 87.

AB **4 Glückwünsche und Geschenke**

Spiel & Spaß

a Welches Fest passt zu den Glückwünschen? Sehen Sie ins Bildlexikon und notieren Sie.

1 Herzlichen Glückwunsch!   Geburtstag, Hochzeit, …   4 Gut gemacht!   …
2 Gutes/Frohes neues Jahr!   …   5 Alles Gute!   …
3 Frohe Weihnachten!   …

b Was schenken/bekommen Sie gern? Sprechen Sie.

■ Am liebsten bekomme ich Konzerttickets, denn ich liebe Musik, und Konzerte sind immer besser als CDs.
▲ Ich schenke gern …

AB **5 Wir würden das gern mit dir feiern.**

GRAMMATIK

Wünsche
ich
er/sie   würde gern mit dir feiern

a Was bedeuten die Sätze? Kreuzen Sie an.

1 Ich würde dich gern ins Kino einladen.
2 Wir würden das gern mit dir feiern.

○ Wir gehen ins Kino. Ich freue mich.
○ Ich möchte mit dir ins Kino gehen. Hast du Zeit?
○ Du kommst zu der Feier. Das finden wir schön.
○ Wir möchten gern mit dir feiern. Kommst du?

b Arbeiten Sie zu dritt. Was würden Sie am liebsten jeden Tag machen? Notieren und erzählen Sie.

ich	Maria	Fatima
spät aufstehen, Geld gewinnen, …		

■ Ich würde gern jeden Morgen spät aufstehen.
▲ Oh ja, das würde ich auch gern. Und du? Was würdest du am liebsten jeden Tag machen?

6 Träume: Was würden Sie gern machen? Arbeiten Sie auf Seite 87.

MINI-PROJEKT

interessant?

7 Feste in den deutschsprachigen Ländern

a Arbeiten Sie in Gruppen. Wählen Sie ein Fest aus Deutschland / Österreich / der Schweiz und ergänzen Sie den Fragebogen. Recherchieren Sie im Internet.

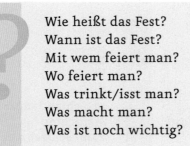

?		
Wie heißt das Fest?	Silvester	
Wann ist das Fest?	am 31.12.	
Mit wem feiert man?	mit Freunden, Bekannten oder Verwandten	
Wo feiert man?	zu Hause, bei Freunden, in Diskotheken, draußen …	
Was trinkt/isst man?	Sekt um 24.00 Uhr, …	
Was macht man?	tanzen, gemeinsam essen, …	
Was ist noch wichtig?	das Feuerwerk um 24 Uhr, …	

b Erzählen Sie im Kurs.

> Das Fest ist Silvester. Das feiert man am 31. Dezember. …

Audiotraining

Karaoke

GRAMMATIK

Ordinalzahlen: Datum

Heute ist der achte Januar.

1.–19.: + -te:	ab 20.: + -ste:
der erste	der zwanzigste
der zweite	der einundzwanzigste
der dritte	…
der vierte	
der fünfte	
der sechste	
der siebte	
der achte	
der neunte	
…	

Wann?

Am achten Januar.
Vom achten bis (zum) achtzehnten Januar.

Wünsche: Konjunktiv II

ich	würde	
du	würdest	
er/es/sie	würde	gern mit dir feiern
wir	würden	
ihr	würdet	
sie/Sie	würden	

KOMMUNIKATION

Wünsche äußern

Im Sommer würde ich gern eine Reise machen. Am liebsten nach Las Vegas.
Ich möchte gern …

gratulieren

Herzlichen Glückwunsch!
Frohe Weihnachten!
Gutes/Frohes neues Jahr!
Gut gemacht!
Alles Gute!

Was sagen Ihnen diese Zahlen?

Die zehn wärmsten Jahre seit 1890 (Angaben in Grad Celsius)

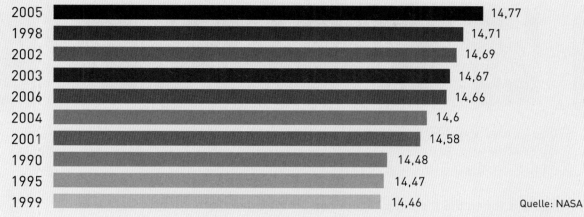

Jahr	Temperatur
2005	14,77
1998	14,71
2002	14,69
2003	14,67
2006	14,66
2004	14,6
2001	14,58
1990	14,48
1995	14,47
1999	14,46

Quelle: NASA

Sonja Zimmerer ist 28 und arbeitet als Chefsekretärin bei einem Speditionsunternehmen in Köln.

Was sagt schon so ein Diagramm? Gar nichts. Klimawandel hat es immer wieder gegeben. Das ist wirklich nichts Besonderes. Auch früher war es mal heißer und mal kälter. Auch früher hat es mal mehr geregnet und mal weniger. Das ist total natürlich. Denken wir bloß an die Eiszeit: Damals ist kein Mensch mit dem Auto gefahren, oder? Und doch ist es auf der Welt zuerst sehr viel kälter geworden und dann, nach ein paar Tausend Jahren, wieder sehr viel wärmer. Die meisten Menschen machen sich jetzt Sorgen ums Klima und um die Zukunft. Das finde ich total falsch, denn in Wirklichkeit geht es hier doch nur um Geld und Politik und nicht um die Wissenschaft. Da sind wahnsinnig viele Interessen im Spiel. Ich habe jedenfalls keine Angst vor dem Klimawandel, denn wir Menschen können mit jedem Wetter gut leben.

Arwed Finke ist 24 und studiert Politikwissenschaften an der Ludwig-Maximilians-Universität in München.

In dem Diagramm geht es um einen Zeitraum von 125 Jahren (1890 bis 2005). Und die zehn wärmsten Jahre sind genau in den letzten 20 Jahren. Wer mag da noch an einen Zufall glauben? Nein, es ist total klar: Der Klimawandel ist eine Tatsache. Und wir Menschen haben ihn gemacht und machen ihn jeden Tag schlimmer. Es gibt auch noch viele andere Daten über die Klimaveränderung auf unserem Planeten und alle sagen leider genau das Gleiche: Der Klimawandel kommt viel schneller als wir gedacht haben und er ist viel stärker als wir befürchtet haben. Was sollen wir tun? Ganz einfach: Wir dürfen nicht mehr so weiterleben wie in den vergangenen 150 Jahren, denn sonst machen wir unsere Welt kaputt.

1 **Wer meint was? Lesen Sie und kreuzen Sie an.**

	SONJA ZIMMERER	ARWED FINKE
a Ich mache mir keine Sorgen um das Klima.	○	○
b Unterschiedliche Temperaturen sind normal.	○	○
c Der Klimawandel kommt sehr schnell.	○	○
d Wir müssen besser auf die Umwelt achten.	○	○
e Wir müssen unser Leben nicht verändern.	○	○

2 **Und Sie? Welche Meinung finden Sie richtig? Die von Sonja Zimmerer oder die von Arwed Finke?**

▶ Clip 22 **1 Am besten gefällt mir sein Hut.**

a **Was passt? Sehen Sie die Modenschau und ordnen Sie zu.**

○ Das ist total sportlich. | ○ Das Kleid ist sehr elegant. | ○ Am besten gefällt mir sein Hut. | ○ Mehr Farbe wäre besser. | ○ Die Farbe passt auch sehr gut zu ihr. | ① Das sieht wahnsinnig gut aus. | ○ Die Bluse ist schön, aber der Rock geht gar nicht.

b **Wie gefällt Ihnen die Kleidung? Schreiben Sie zu jedem Foto ein bis zwei Sätze.**

▶ Clip 23 **2 Blick auf Bern. – Was ist richtig? Sehen Sie die Reportage und kreuzen Sie an.**

a In der Schweiz regnet es heute, aber es ist warm. ○
b Auf dem Aussichtsturm hat man heute keine gute Sicht. ○
c Bei gutem Wetter kann man im Norden Bern sehen. ○
d Bern ist die größte Stadt in der Schweiz. ○
e Im Osten liegt das Berner Seeland. ○
f Im Süden und Osten liegt das Berner Oberland. ○
g Viele Berge sind über 4000 Meter hoch. ○

▶ Clip 24 **3 Die Auer Dult**

a **Sehen Sie die Reportage und ergänzen Sie.**

1 In welcher Stadt ist die Auer Dult?
   In _____.
2 Wie lange gibt es die Auer Dult schon?
   Seit über ____ Jahren.
3 Wie oft im Jahr gibt es die Auer Dult? _____

b **Welche Wünsche haben Lilian und Oliver? Kreuzen Sie an.**

	LILIAN	OLIVER
Autoscooter fahren	○	○
über den Jahrmarkt gehen und gucken	○	○
etwas essen	○	○
schießen	○	○

1 **Lesen Sie die Informationen auf der Webseite und ergänzen Sie die Tabelle.**

www.mottopartys.info

– HERZLICH WILLKOMMEN AUF UNSERER WEBSEITE! –

Ihr wollt eine Motto-Party feiern, das heißt, eine Party zu einem bestimmten Thema? Dann seid Ihr hier genau richtig! Denn auf dieser Seite findet Ihr ganz viele Themenvorschläge. Und damit Eure Party ein voller Erfolg wird, haben wir für Euch Ideen zu diesen Fragen gesammelt:

– Wie sieht die Einladung zu Eurer Party aus?
– Wie dekoriert Ihr den Raum am besten?
– Welche Kleidung passt zum Motto?
– Was könnt Ihr zu essen und zu trinken anbieten?

– Welche Musik gibt es zu Eurem Motto?
– Und nicht zuletzt: Was wäre eine Party ohne Programm? Ihr findet hier auch noch viele lustige Spielvorschläge!

Wir wünschen Euch viel Spaß bei Eurer Party und freuen uns auf Euer Feedback!

Eure Event-Managerinnen Nick und Anja

Strand-Party

Die Einladung bringt Ihr den Gästen am besten in einer Flaschenpost ➝ vorbei oder Ihr schickt ihnen einen Brief und gebt etwas Sand in den Umschlag. Sand ist bei einer Strand-Party natürlich auch ganz wichtig für die Dekoration: Den Party-Raum könnt ihr mit Sand dekorieren und Liegestühle ⎙ aufstellen.
Und nicht vergessen: ein Planschbecken ⊙ darf nicht fehlen. Bei einer Strand-Motto-Party könnt Ihr Bikinis, Badeanzüge oder Badehosen anziehen.

Essen und Getränke sollten exotisch sein: Bietet Fruchtcocktails zu trinken und Toast Hawaii zu essen an. Das ist nicht teuer und schmeckt jedem. Darf es ein bisschen teurer sein? Dann macht ein Fischbuffet. Als Musik passt Salsa – das sorgt für eine tolle Stimmung. Ein Luftballon-Darts 🎯 ist das perfekte Spiel für Strand-Partys.

Einladung	Flaschenpost, ...	Essen/Getränke	
Dekoration		Musik	
Kleidung		Programm	

2 **Planen Sie eine Motto-Party im Kurs.**

a Arbeiten Sie in Gruppen: Wählen Sie ein Motto und sammeln Sie Ideen zu Dekoration, Kleidung, Essen/Getränken, Musik, Programm.

b Präsentieren Sie Ihre Ideen im Kurs und stimmen Sie ab.

Motto: 20-er-Jahre-Party
Dekoration: ...

c Wählen Sie ein Datum aus und feiern Sie Ihre Motto-Party im Kurs.

BESSER ODER MEHR?

Sie hat _____ Glück als ich.

Sie sieht viel _____ aus.

Sie hat den teuersten Schmuck.

Sie wohnt im Luxushaus.

Sie hat _____ Glück als ich.

Sie hat sogar 'nen Chauffeur!

Ich will so sein wie sie,

denn sie hat mehr, mehr, mehr …

Solche Sätze machen mich _____.

Immer wenn ich so etwas hör', dann denk' ich:

Hast du denn wirklich keine Fantasie?

Ist ‚_____' für dich immer nur ‚_____'?

Er hat _____ Glück als ich.

Sein Haus gefällt mir _____.

Er hat den tollsten Job.

Ich möcht' so leben wie er.

Er hat _____ Glück als ich.

Ich will so sein wie er.

Er hat _____ Geld als ich.

Er ist ein Millionär.

Solche Sätze finde ich _____.

Immer wenn ich so etwas hör', dann denk' ich:

Hast du denn wirklich keine Fantasie?

Ist ‚_____' wirklich immer nur ‚_____'?

▶ 3 47 **1** **Ergänzen Sie. Hören Sie dann das Lied und vergleichen Sie.**

> besser | mehr | schöner | mehr | besser | mehr | traurig | mehr | traurig | mehr | sehr | mehr | mehr

▶ 3 47 **2** **Hören Sie noch einmal und singen Sie mit.**

KB I S. 11 **Lektion 13** 6

Wo ist Laura?
Bauen Sie „Bilder". Die anderen beschreiben.

Variante: Beschreiben Sie „Bilder".
Die anderen bauen sie.

> Laura ist zwischen den Tischen. Marius ist hinter der Tür.

KB I S. 19 **Lektion 15** 5c

Urlaubsorte bewerten – Wem gefällt was?   Partner A
Fragen Sie Ihre Partnerin / Ihren Partner und ergänzen Sie die fehlenden Informationen.

- ■ Wo macht Peter oft Urlaub?
- ▲ In Frankreich.
- ■ Was gefällt ihm in Frankreich besonders?
- ▲ Ihm gefallen die Schlösser besonders gut.

	Urlaubsort – wo?	Was gefällt ...?
Peter	Frankreich	
Saskia	Schweiz	die Berge
Familie Müller		
Frau Neumann	Paris	die Geschäfte
Herr Hansen		
Silvia und André	Schweden	das Meer
Len		
Anna	Kanada	die Menschen
Sie		
Ihre Partnerin / Ihr Partner		

Einen Weg beschreiben: Wie gut ist Ihr Gedächtnis?

a Arbeiten Sie zu zweit.

 Partner A

Partner B

> Sehen Sie die Karte zwei Minuten lang genau an.
> Schließen Sie dann das Buch.

> Wählen Sie aus der Karte ein Ziel und fragen Sie nach dem Weg.

> Entschuldigung! Ich suche das Hotel Schmid.

> Beschreiben Sie den Weg aus Ihrem Gedächtnis.

> Das ist ganz leicht. Sie gehen geradeaus und dann ...

> Markieren Sie den Weg in Ihrer Karte. War die Beschreibung richtig?

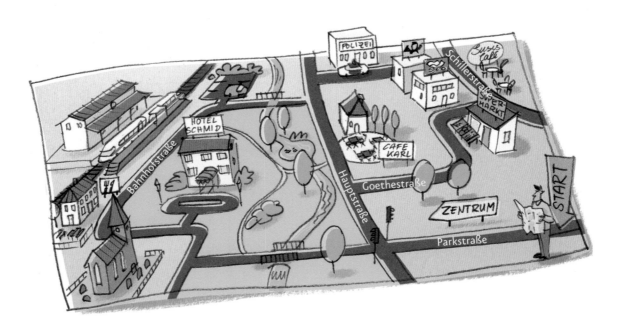

b Tauschen Sie nun die Rollen.

KB I S. 15 **Lektion 14** 7

Gehört das Sonja oder Peter?

Sehen Sie die Bilder an. Was meinen Sie: Was gehört Sonja, was Peter?
Beschreiben Sie die Gegenstände.

Sonjas Haus   Peters Haus

- ■ Ich glaube, das sind Sonjas Stühle. Sie sind aus Holz und ihr Tisch in der Küche ist
  auch aus Holz.
- ▲ Ja, das glaube ich auch. Und das Auto? Ist das Sonjas oder Peters Auto?
- ■ Ich glaube, das ist …

KB I S. 35 **Lektion 18** 6

Umfrage im Kurs: Wie gesund lebst du?

a Arbeiten Sie zu dritt und schreiben Sie Fragen.

1. Wie oft machst du Sport? _____
2. Isst du jeden Tag Obst? _____
3. Wie oft gehst du in die Sauna? _____
4. Um wie viel Uhr gehst du schlafen? _____
5. _____ ? _____
6. _____ ? _____
7. _____ ? _____
8. _____ ? _____
…

b Befragen Sie eine Person aus einer anderen Gruppe und notieren Sie die Antworten.

c Erzählen Sie in Ihrer Gruppe von dem Ergebnis.

… macht fast nie Sport. Aber sie
geht oft in die Sauna. Sie …

Häuser beschreiben: Mein Traumhaus

a Wie sieht Ihr Traumhaus aus? Kreuzen Sie an oder ergänzen Sie.

Das Haus steht ...

○ am Meer   ○ in den Bergen   ○ im Wald   ○ _____

Vor dem Haus ist ...

○ ein Swimmingpool   ○ ein Fußballplatz   ○ ein Freizeitpark   ○ _____

Im Garten gibt es ...

○ viele Blumen   ○ viele Bäume   ○ einen Fluss   ○ _____

Das Haus ist ...

○ eine alte Fabrik   ○ ein Leuchtturm   ○ ein altes Bauernhaus   ○ _____

Es hat ...

○ viele große Fenster   ○ viele Balkone   ○ eine Terrasse   ○ _____

Neben dem Haus steht ...

○ eine Garage   ○ ein Stall   ○ ein Zelt   ○ _____

Ich wohne dort ...

○ allein   ○ mit meiner Familie   ○ mit meinen Freunden   ○ _____

Was ist Ihnen noch wichtig?   _____

b Beschreiben Sie Ihr Haus.
Ihre Partnerin / Ihr Partner zeichnet.

> Mein Traumhaus steht in den Bergen. Vor dem Haus ...

c Machen Sie eine Ausstellung.
Welches Haus gefällt Ihnen am besten?

Lektion 15 | **5c**

Urlaubsorte bewerten – Wem gefällt was?   Partner B
Fragen Sie Ihre Partnerin / Ihren Partner und ergänzen Sie die fehlenden Informationen.

- ■ Wo macht Peter oft Urlaub?
- ▲ In Frankreich.
- ■ Was gefällt ihm in Frankreich besonders?
- ▲ Ihm gefallen die Schlösser besonders gut.

	Urlaubsort – wo?	Was gefällt ...?
Peter	Frankreich	die Schlösser
Saskia	Schweiz	
Familie Müller	Italien	die Märkte
Frau Neumann		
Herr Hansen	Wien	der Dom
Silvia und André		
Len	Athen	die Cafés
Anna		
Sie		
Ihre Partnerin / Ihr Partner		

Rollenspiel: im Hotel um Hilfe bitten
Wählen Sie zu zweit eine Situation und spielen Sie Gespräche.

Variante: Denken Sie sich eine neue Situation aus.

Situation 1

Gast	Angestellte/r im Hotel
Die Heizung funktioniert nicht.	Sie schicken einen Techniker. Wann hat der Techniker Zeit? Das wissen Sie nicht.

Situation 2

Gast	Angestellte/r im Hotel
Es gibt keine Handtücher.	Sie sagen dem Zimmermädchen Bescheid. Das Zimmermädchen bringt sofort Handtücher in das Zimmer.

Situation 3

Gast	Angestellte/r im Hotel
Der Fernseher ist kaputt.	Sie kümmern sich darum. Der Techniker kommt heute Nachmittag.

Entschuldigen Sie, können Sie mir helfen? /
Ich habe ein Problem: Ich brauche Ihre Hilfe.

↘ Ja, gern. Was kann ich für Sie tun? /
Wie kann ich Ihnen helfen?

… ist kaputt / funktioniert nicht. /
Es gibt kein/e/en … ↙

↘ Oh, das tut mir leid. Ich kümmere mich darum.

Wann …? ↙

↘ Das kann ich Ihnen nicht sagen. Vielleicht … /
Um …
Der Techniker / Das Zimmermädchen kommt
sofort. ↙

Super, vielen Dank! / Sehr nett, danke!

↘

Bitte. / Sehr gern.

KB I S. 27 **Lektion 16** **8**

Einen Termin verschieben

a Lesen Sie zu zweit Carolas Kalender und ergänzen Sie.

1 Für wie lange fährt Carola nach Berlin?   _Für_ drei Tage.
2 Wann hat Carola am Donnerstag Zeit?   _____ _____ Uni und
                                               _____ _____ Spanischkurs.
3 An welchem Tag hat Carola keine Termine?   _____ Freitag.
4 Wann hat Carola am Samstag Zeit?   _____ 14.00 Uhr.
5 Ab wann hat Carola Urlaub?   _____ Sonntag.
6 Für wie lange fährt Carola in den Urlaub?   _____ Woche.
7 Wann kommt Carola zurück?   Am Sonntag _____ _____ Woche.

	Montag	Dienstag	Mittwoch	Donnerstag	Freitag	Samstag	Sonntag
8:00							
9:00							
10:00							
11:00				Uni			
12:00							
13:00							
14:00	Tagung in Berlin						
15:00							ab heute eine
16:00							Woche Urlaub
17:00							auf Sylt
18:00						Oma und	
19:00	Kino mit					Opa	
20:00	Steffi					besuchen	
21:00							
22:00			Spanischkurs				
23:00							
24:00							

b Sie möchten den Termin mit Steffi verschieben. Schreiben Sie gemeinsam eine E-Mail.

Termine verschieben	**Pläne beschreiben**	**Alternativen vorschlagen**
Ich kann leider doch nicht ins Kino gehen / kommen.	Von ... bis ... bin ich in Berlin.	Ich kann am ...
Ich möchte den Termin ver- schieben.	Vor/Nach dem Spanischkurs / der Uni ...	Am ... habe ich Zeit.
Können wir den Termin ver- schieben?	Ab ... bin ich für ... im Urlaub.	Passt Dir das? / Passt es dir am ...?
	In ... bin ich aus dem Urlaub zurück.	Wollen wir am ... ins Kino gehen?
		Hast Du Lust?

KOMMUNIKATION

Was nehmen Sie in den Urlaub mit: *mit* oder *ohne* ... ?

a Was nehmen Sie immer/nie in den Urlaub mit?
Notieren Sie jeweils drei Gegenstände. Arbeiten Sie auch mit dem Wörterbuch.

* Brille
* Handy
* Fahrrad
* Föhn
* Wecker
* Lieblingsbuch
* Zeitung

* Regenschirm
* Laptop
* Radio
* Fotoapparat
* Auto
* Kalender
* Familie

* Freunde
* Feuerzeug
* Kinder
* Kreditkarte
* iPod®

immer: _____

nie: _____

b Schreiben Sie.

> Ich fahre nie ohne mein Handy in den Urlaub.
> Ich fahre nie mit meinem Laptop in den Urlaub.

c Arbeiten Sie in Gruppen und erzählen Sie.

■ Ich fahre nie ohne mein Handy in den Urlaub. Und du?
▲ Ich schon. Ich fahre manchmal ohne Handy weg.
● Ich auch nicht. Aber ich ...

▲ Ich fahre nie mit dem Auto in den Urlaub.
● Ich schon. Das finde ich praktisch.
■ Ich auch nicht.

Personen beschreiben: früher und heute

Partner A

a Wie war Simone vor 20 Jahren? Wie ist sie heute?
Sprechen Sie mit Ihrer Partnerin / Ihrem Partner und notieren Sie.

Simone Rech vor 20 Jahren		heute
Beruf:	Sekretärin	Yoga-Lehrerin
Familie:	ledig	_____
Lebt in:	Stuttgart	_____
Hobbys:	Musik hören	_____
Aussehen:	blonde, kurze Haare, Brille	_____

■ Vor 20 Jahren war Simone Sekretärin. Was ist sie heute?
▲ Heute ist sie Yoga-Lehrerin.
■ Früher war Simone ...

b Wie war Klaus vor 20 Jahren? Wie ist er heute?
Sprechen Sie mit Ihrer Partnerin / Ihrem Partner und notieren Sie.

Klaus Wecker vor 20 Jahren		heute
Beruf:	Bürokaufmann	Musiker
Familie:	_____	geschieden
Lebt in:	_____	Neu Delhi
Hobbys:	_____	kochen, Fahrrad fahren
Aussehen:	_____	lange Haare, Bart

c Und Sie? Ergänzen Sie und sprechen Sie mit Ihrer Partnerin / Ihrem Partner.

Sie vor 10 Jahren		heute
Beruf/Schule:	_____	_____
Familie:	_____	_____
Lebe in:	_____	_____
Hobbys:	_____	_____
Aussehen:	_____	_____

Über Wünsche und Pläne sprechen

a Arbeiten Sie mit dem Wörterbuch und notieren Sie.

Was willst du beruflich machen?	unbedingt noch	
	auf keinen Fall	
Welche Pläne/Wünsche hast du für deine Familie?	unbedingt noch	
	auf keinen Fall	
Welche Pläne/Wünsche hast du für deine Freizeit?	unbedingt noch	
	auf keinen Fall	
Was willst du lernen?	unbedingt noch	
	auf keinen Fall	
Was willst du im Urlaub machen?	unbedingt noch	
	auf keinen Fall	
Du hast viel Geld. Was willst du kaufen?	unbedingt noch	
	auf keinen Fall	

b Arbeiten Sie in Gruppen und erzählen Sie. Haben Sie etwas gemeinsam?

■ Was willst du beruflich unbedingt noch machen?

▲ Ich will unbedingt noch Schauspielerin werden.

● Und was willst du auf keinen Fall machen?

▲ Ich will auf keinen Fall …

KB I S. 34 **Lektion 18** **3b**

Gesundheits-Forum: Ratschläge geben

Lesen Sie die Beiträge im Gesundheitsforum. Arbeiten Sie zu zweit und schreiben Sie zwei
Ratschläge zu jedem Beitrag. Hilfe finden Sie im Bildlexikon.

Hallo,
ich kann seit drei Monaten nicht mehr richtig
schlafen. Ich war auch schon beim Arzt, aber
er hat nichts gefunden. Wer hat einen Tipp?
Philipp

> *Hallo Philipp,*
> *trinken Sie viel Tee oder Wasser! Nehmen Sie*
> *auch Vitamin C.*
> *Sara*

Hallo,
mein Mann hat schon seit sechs
Wochen Kopfschmerzen!
Wer kann helfen?
Tina

> *Hallo Tina,*
> *ich denke, Ihr Mann soll zum Arzt gehen.*
> *Sechs Wochen sind zu lang.*
> *Bernd*

viel Obst essen | Sport machen | keinen Kaffee trinken | nicht so viel arbeiten |
viel spazieren gehen | ein Rezept beim Arzt holen | Tabletten/Medikamente nehmen | ...

KB I S. 47 **Lektion 20** **8**

Jemanden auffordern: Putz es doch bitte!

Sie kommen aus dem Urlaub zurück. Keiner hat aufgeräumt!

a   Sehen Sie das Bild an und schreiben Sie zu zweit Ihrer Mitbewohnerin /
Ihrem Mitbewohner fünf Sätze. Was soll sie/er tun?

Das Bad ist schmutzig! Putz es doch bitte!
Die Wäsche ...

b   Tauschen Sie Ihre Sätze mit einem anderen Paar. Korrigieren Sie gegenseitig Ihre Sätze.

Personen beschreiben: früher und heute

a Wie war Simone vor 20 Jahren? Wie ist sie heute?
Sprechen Sie mit Ihrer Partnerin / Ihrem Partner und notieren Sie.

	Simone Rech vor 20 Jahren	heute
Beruf:	<u>Sekretärin</u>	Yoga-Lehrerin
Familie:	_____	geschieden
Lebt in:	_____	Innsbruck
Hobbys:	_____	malen, spazieren gehen
Aussehen:	_____	lange, braune Haare / keine Brille

■ Vor 20 Jahren war Simone Sekretärin. Was ist sie heute?
▲ Heute ist sie Yoga-Lehrerin.
■ Früher war Simone ...

b Wie war Klaus vor 20 Jahren? Wie ist er heute?
Sprechen Sie mit Ihrer Partnerin / Ihrem Partner und notieren Sie.

	Klaus Wecker vor 20 Jahren	heute
Beruf:	Bürokaufmann	<u>Musiker</u>
Familie:	verheiratet	_____
Lebt in:	Luzern	_____
Hobbys:	tanzen	_____
Aussehen:	kurze Haare, kein Bart	_____

c Und Sie? Ergänzen Sie und sprechen Sie mit Ihrer Partnerin / Ihrem Partner.

	Sie vor 10 Jahren	heute
Beruf/Schule:	_____	_____
Familie:	_____	_____
Lebe in:	_____	_____
Hobbys:	_____	_____
Aussehen:	_____	_____

KB | S. 51 **Lektion 21 | 7**

Mal ehrlich: Welche Regeln akzeptieren Sie?

a Lesen Sie den Fragebogen. Was machen Sie in den Situationen? Notieren Sie.

b Was meinen Sie? Wie reagiert Ihre Partnerin / Ihr Partner? Notieren Sie.

Variante: Denken Sie sich weitere Situationen aus.

Mal ehrlich? Welche Regeln akzeptieren Sie?	Ich	Meine Partnerin / Mein Partner
Situation 1 Sie sind in einer Bibliothek. Über Ihnen ist dieses Schild: Ihr Handy klingelt. Was machen Sie? 1) Ich mache es sofort aus. 2) Ich telefoniere ganz leise. 3) ...	*telefoniere vor der Bibliothek*	*telefoniert ganz leise*
Situation 2 Sie wollen heute Abend mit Freunden am See grillen und haben auch schon alles gekauft: Würste, Salate ... Am See sehen Sie dann aber dieses Schild: GRILLEN VERBOTEN! Was machen Sie? 1) Sie grillen. Für Sie ist das kein Problem. 2) Sie grillen nicht. Schade! 3) ...		
Situation 3 Sie sind im Urlaub und wollen unbedingt im Meer baden. Leider sehen Sie am Meer dieses Schild: BADEN VERBOTEN! Was machen Sie? 1) Natürlich bade ich! 2) Ich bade nicht. Vielleicht gibt es ja Haie. 3) ...		

c Sprechen Sie mit Ihrer Partnerin / Ihrem Partner und vergleichen Sie. Haben Sie richtig vermutet?

- ■ Was machst du in Situation 1?
- ▲ Ich telefoniere nicht in der Bibliothek. Das finde ich nicht in Ordnung. Ich telefoniere vor der Bibliothek. Und du? Was machst du?
- ■ Ich telefoniere ganz leise. Ich finde das nicht so schlimm.

Lektion 22 | 7

Kleidung beschreiben: Mein Lieblings-Kleidungsstück

a Machen Sie Notizen zu den Fragen.

Was gefällt mir an dem Kleidungsstück am besten? _____

Wo habe ich es gekauft? _____

War es ein Geschenk? _____

Wie lange habe ich es schon? _____

Wann habe ich es zuletzt angezogen? _____

Was möchte ich noch erzählen? _____

b Machen Sie ein Plakat. Machen Sie ein Foto von Ihrem Lieblings-Kleidungsstück und schreiben Sie einen Text.

Mein Lieblingskleidungsstück ist ein T-Shirt. Ich habe viele T-Shirts, aber das hier gefällt mir am besten. Ich habe es auf einem Konzert in Berlin gekauft. Ich ziehe es oft an, zuletzt am Montag. Es ist schon acht Jahre alt, aber die Band „Mondschein" höre ich immer noch gern. Die Musik ist einfach super.

Lektion 23 | 5b

Etwas begründen:

Ergänzen Sie Ihre Spalte und fragen Sie dann Ihre Partnerin / Ihren Partner.

Partner A

	Celine	Malte	Ich	Meine Partnerin / Mein Partner
Hatte ... einen schönen Urlaub?	☺ Wetter war wunderbar	☹ Wetter war schlecht		
War ... gestern im Restaurant?		☹ das ist zu teuer		
War ... letztes Wochenende im Kino?	☹ geht lieber ins Theater			
Hat ... gestern Hausaufgaben gemacht?		☹ hatte keine Zeit		
Hatte ... gestern gute Laune?	☺ hat nicht gearbeitet			
Hat ... letzte Woche gearbeitet?		☹ hatte Urlaub		

■ Hatte Celine einen schönen Urlaub?

▲ Ja, denn das Wetter war wunderbar. Hatte Malte einen schönen Urlaub?

■ Nein, denn das Wetter war schlecht.

KB I S. 67 **Lektion 24 | 3b**

Meine drei Lieblingsfeste

a Was feiern Sie gern? Notieren Sie. Hilfe finden Sie im Bildlexikon und im Wörterbuch.

Meine Lieblingsfeste	Wann?	Was mache ich?
mein Geburtstag	15.06.	Party, tanzen ...
...		

b Arbeiten Sie zu dritt. Erzählen Sie.

■ Am liebsten feiere ich meinen Geburtstag.
▲ Wann hast du Geburtstag?
■ Am 15. Juni.
● Und was machst du am liebsten?
■ Ich mache am liebsten eine Party. Wir tanzen und ...
▲ Und was feierst du noch gern?
■ ...

KB I S. 67 **Lektion 24 | 6**

Träume. Was würden Sie gern machen? Sie haben viel Geld und viel Zeit.
Notieren Sie Stichwörter und fragen Sie anschließend Ihre Partnerin / Ihren Partner.

	Ich	Meine Partnerin / Mein Partner
an meinem nächsten Geburtstag	eine Reise machen, nach Indien fahren, mit meiner Freundin ...	Party, in Las Vegas ...
nach der Deutschprüfung		
im nächsten Urlaub		
im Sommer		
nächstes Wochenende		
...		

■ Was würdest du gern an deinem nächsten Geburtstag machen?
▲ Ich würde gern eine Reise machen. Am liebsten nach Indien.
■ Würdest du allein reisen?
▲ Nein, ich würde am liebsten meine Freundin mitnehmen. Und du?
■ Ich würde gern meine Freunde einladen und eine Party feiern. Am liebsten in Las Vegas.

Lektion 23 5b

Etwas begründen: Partner B
Ergänzen Sie Ihre Spalte und fragen Sie dann Ihre Partnerin / Ihren Partner.

	Celine	Malte	Ich	Meine Partnerin / Mein Partner
Hatte ... einen schönen Urlaub?	☺ *Wetter war wunderbar*	☹ Wetter war schlecht		
War ... gestern im Restaurant?	☺ hat nichts im Kühlschrank			
War ... letztes Wochenende im Kino?		☺ liebt Kinofilme		
Hat ... gestern Hausaufgaben gemacht?	☹ hatte keine Lust			
Hatte ... gestern gute Laune?		☺ hat die Prüfung geschafft		
Hat ... letzte Woche gearbeitet?	☺ ihre Kollegin war krank			

- Hatte Celine einen schönen Urlaub?
- ▲ Ja, denn das Wetter war wunderbar. Hatte Malte einen schönen Urlaub?
- Nein, denn das Wetter war schlecht.

Die alphabetische Wortliste enthält die neuen Wörter dieses Buches mit Angabe der Seiten, auf denen sie das erste Mal vorkommen. Wörter, die für die Prüfungen der Niveaustufen A1, A2 und B1 nicht verlangt werden, sind kursiv gedruckt. Bei allen Wörtern ist der Wortakzent gekennzeichnet: Ein Punkt (a) heißt kurzer Vokal, ein Unterstrich (a) heißt langer Vokal. Nomen mit der Angabe (Sg.) verwendet man (meist) nur im Singular. Nomen mit der Angabe (Pl.) verwendet man (meist) nur im Plural. Trennbare Verben sind durch einen Punkt nach der Vorsilbe gekennzeichnet (ab·fahren).

die (Lügen-)Geschichte, -n	43	die Atmosphäre, -n	23	der Beitrag, ⸚e	83	die Chance, -n	31
ab (temporal)	27	auf (sein)	47	der /die Bekannte, -n	68	der Charakter,	
ab·biegen	9	auf·fordern	47	beliebt	21	Charaktere	41
abends	66	die Aufforderung, -en	45	berechnen	37	der Chauffeur, -e	72
der Abfall, ⸚e	46	*auf·hängen*	46	der Berg, -e	73	*die Chefsekretärin, -nen*	69
ab·schließen	30	*das Aufnahmegerät, -e*	53	die Berufs-		*der Chor, ⸚e*	40
der Abschluss, ⸚e	32	*die Aufnahmeprüfung, -en*	29	ausbildung, -en	30	der Chortext, -e	40
die Abschluss-		*auf·stellen*	71	Bescheid sagen	27	das Computerspiel, -e	13
prüfung, -en	66	auf·wachen	62	beschweren (sich)	43	das Containerschiff, -e	23
ab·stimmen	52	*auf·wachsen (bei)*	55	besser	31	der Coversong, -s	55
ab·trocknen	46	der Aufzug, ⸚e	25	bestehen	65	dabei·haben	62
ab·waschen	46	*die Aufzugfirma, -firmen*	26	bestimmt-	71	das Dach, ⸚er	62
ach komm!	44	die Augenfarbe, -n	55	betonen	24	dafür	53
ach nein!	56	aus·denken	85	*die Betonung, -en*	60	die Dame, -n	37
ach was!	44	das Ausland (Sg.)	31	*das Betriebssystem, -e*	37	danken	18
ach wirklich?	28	der Ausländer, -	18	das Bewegungsspiel, -e	47	die Daten (Pl.)	69
ach, du liebe Zeit!	44	*aus·machen*	26	bewerben:		*der Dativ, -e*	9
die Akademie, -n	29	*aus·räumen*	47	sich bewerben für	29	das Datum, Daten	68
aktuell	18	aus·sehen	15	*bewölkt: es ist bewölkt*	61	davon	19
akzeptieren	51	das Aussehen (Sg.)	41	bezahlen	15	decken	45
die Alternative, -n	79	äußern	29	die Bibliothek, -en	18	deinstallieren	37
die Altstadt, ⸚e	18	der Aussichtsturm, ⸚e	70	der Biergarten, ⸚	21	die Dekoration, -en	71
am (lokal)	11	der Autofahrer, -	49	der Bikini, -s	71	dekorieren	71
die Ampel, -n	9	der Autoscooter, -	70	*bis bald*	64	denn (Konjunktion)	61
an	9	die Bäckerei, -en	43	*bis zu : bis zu 2 Grad*	62	deshalb	37
anerkannt	29	das Bad, ⸚er	14	*der Bitte-Danke-Walzer, -*	56	der/die Deutsche, -n	18
an·geben	61	der Badeanzug, ⸚e	71	*die Blasmusik (Sg.)*	21	das Diagramm, -e	69
angeln	51	die Badehose, -n	71	bleiben	34	dichten	40
der/die Angestellte, -n	78	der Bademantel, ⸚	27	der Blick, -e	10	dick	42
die Angst, ⸚e:		baden	50	*blitzen: es blitzt*	62	der Dienst, -e	40
Angst haben	25	*der Baldrian, -e*	35	blond	42	der Dienstschluss (Sg.)	53
an·haben	58	der Balkon, -e und -s	14	bloß	53	die Dienststelle, -n	53
der Animateur, -e	55	die Band, -s	86	die Blume, -n	14	direkt	36
an·legen	50	die Bank, -en	10	die Bluse, -n	58	die Diskothek, -en	43
an·lehnen	54	*der Bär, -en*	22	*Boah!*	66	*der DJ, -s*	55
die Anleitung, -en	32	der Bart, ⸚e	41	der Boden, ⸚	47	*donnern: es donnert*	62
an·machen	9	der Bauch, ⸚e	35	das Boot, -e	54	dort	31
an·melden (sich)	29	die Bauch-		*brauchbar*	62	draußen	68
der Anruf-		schmerzen (Pl.)	33	der Brief, -e	45	*der Dreck (Sg.)*	48
beantworter, -	47	bauen	73	die Brücke, -n	10	dringend	15
der Anwalt, ⸚e	37	*das Bauernhaus, ⸚er*	76	die Brust, ⸚e	35	*dritt: zu dritt*	35
die Anzeige, -n	29	der Baum, ⸚e	14	bügeln	46	dumm: Wie dumm!	28
an·ziehen (sich)	86	*bayrisch*	21	*bürgerlich: bürgerlicher*		dünn	43
das Apartment, -s	15	*befragen*	75	Name	55	der Durchbruch, ⸚e	55
die Apotheke, -n	34	befürchten	69	*der Bürokaufmann, ⸚er*	81	durch·kommen	11
der Apparat, -e	37	begleiten	39	*der Busch, ⸚e*	38	dürfen	49
die Arbeit, -en	53	begründen	63	*der Campingstuhl, ⸚e*	62	die Dusche, -n	27
der Arbeiter, -	18	bei: bei Kopfschmerzen	35	*das Casting, -s*	29	echt?	41
das Arbeitszimmer, -	14	beige	58	*die Castingshow, -s*	29	die Ecke, -n: um	
der Arm, -e	34	das Bein, -e	34	die CD, -s	67	die Ecke	18

ehrlich	51	das Fenster, -	13
der Eigenname, -n	13	die Ferienwohnung, -en	62
eigentlich	17	der Fernseher, -	26
ein paar	62	das Festnetz, -e	37
ein·checken	53	fest·stecken	25
einfach (Modalpartikel)	31	das Feuerwerk, -e	68
der/die Einheimische, -n	21	das Fieber (Sg.)	34
die Einrichtung (Sg.)	17	die Figur (Sg.)	36
ein·schalten	53	der Finger, -	35
ein·schlafen	53	das Fischbuffet, -s	71
ein·tragen	11	fit (sein)	32
die Einweihungsparty, -s	67	die Fitness (Sg.)	66
der Einwohner, -	22	das Fitnessstudio, -s	66
die Eiszeit (Sg.)	69	die Fläche, -n	21
die Elbe	23	die Flaschenpost (Sg.)	71
der Elektroinstallateur, -e	38	der Flur, -e	14
die Elektronikfirma, -firmen	38	der Fluss, ¨e	76
elektronisch	23	folgen	55
das Elfchen-Gedicht, -e	32	der Föhn, -e	27
entdecken	55	formulieren	47
der Entertainer, -	55	das Forum, Foren	59
entscheiden	24	der Forumsbeitrag, ¨e	57
entspannen (sich)	66	frei: frei sein	56
entwerfen	59	freiwillig	48
die Erde (Sg.)	39	der Freizeitpark, -s	76
das Erdgeschoss, -e (EG)	14	fremd	11
der Erfolg, -e	37	die Freude: Freude machen	56
erfolgreich	39	freundlich	42
erkennen	43	die Freundschaft, -en	21
erlauben: das ist erlaubt	50	fröhlich	42
erleben	62	der Fruchtcocktail, -s	71
erscheinen	35	der Frühdienst, -e	53
erst	27	das Frühjahr, -e	63
erstaunt	41	der Führerschein, -e	31
erwähnen	16	funktionieren	25
euch	19	für (temporal)	25
(das) Europa	31	furchtbar	62
das Europäische Magier- und Illusionistentreffen	53	der Fuß, ¨e	35
exotisch	71	der Fußballplatz, ¨e	76
die Fabrik, -en	76	der Fußgänger, -	49
fahren	9	die Garage, -n	14
der Fahrgast, ¨e	53	der Geburtsort, -e	55
der Fahrradfahrer, -	49	das Gedächtnis, -se	11
der Fall, ¨e: auf keinen Fall	31	das Gedicht, -e	32
die Fanseite, -n	18	geehrte/geehrter	27
die Fantasie, Fantasien	72	gefährlich	51
die Fantasiefigur, -en	36	gegen	33
färben	55	gegenseitig	83
farblos	62	gehören	18
faul	46	das Geld (Sg.)	30
fein	35	gemütlich	32
		genauso … wie	58
		die Generation, -en	54
		genervt (sein)	25
		der Genitiv, -e	13
		genug	62

geradeaus	9	der Heilige Abend (Sg.)	66
gern geschehen	56	das Heilkraut, ¨er	35
das Geschäft, -e	18	der Heimatort, -e	19
die Geschäftsreise, -n	27	heiraten	30
das Geschirr (Sg.)	46	heiß	69
die Geschwindig-keit, -en	62	die Heizung, -en	25
gesund	35	der Helfer, -	40
die Gesundheit (Sg.)	39	der Helm, -e	50
das Gewitter, -	62	das Hemd, -en	57
das Gewürz, -e	23	der Herd, -e	15
glatt	43	herrlich!	53
gleich	61	Herzlichen Glückwunsch	65
das Glück: Glück bringen	30	der Glückwunsch, ¨e	67
der Glückwunsch, ¨e	67	der Himmel, -	62
golden	58	die Himmelsrichtung, -en	61
das Grad, -e	62	hin·fahren	24
gratulieren	18	hin·kommen	18
grau	42	hinten	14
griechisch	21	hinter	10
die Größe, -n	16	hoch	34
groß·schreiben	64	das Hochdeutsch (Sg.)	22
die Großstadt, ¨e	21	hoffentlich	66
der Grund, ¨e	61	die Hose, -n	57
gründlich	48	der Hotelgast, ¨e	26
das Grundstück, -e	54	hübsch	42
die Grußformel, -n	16	der Hügel, -	21
gucken	70	das Huhn, ¨er	40
der Gurt, -e	50	der Hund, -e	50
der Gürtel, -	59	hupen	50
der Gutschein, -e	66	der Husten (Sg.)	34
das Haar, -e	36	husten	34
die Haarfarbe, -n	55	der Hut, ¨e	58
hach!	24	ihm	19
der Hafen, ¨	17	ihn	47
der Hai, -e	85	ihnen	19
der Hals, ¨e	35	im (lokal)	9
die Halsschmerzen (Pl.)	35	im Grünen	21
halt (Modalpartikel)	40	das Image, -s	30
halten: sauber halten	53	der Imperativ, -e	33
die Hand, ¨e	35	in: in sein	18
hängen (an)	55	indirekt	36
die Hantel, -n	66	inkl. (inklusive)	15
hart	62	installieren	37
hassen	48	die Institution, -en	9
der Hauptplatz, ¨e	40	das (Musik) Instrument, -e	31
die Hauptsache (Sg.)	39	international	29
das Haus, ¨er	11	die Internet-Seite, -n	37
die Hausaufgabe, -n	46	die Internet-verbindung, -en	26
das Hausdach, ¨er	62	inzwischen	55
die Hauseinweihungs-party, -s	66	der iPod, -s ®	32
die Hausfrau, -en	43	irgendwann	23
der Haushalt, -e	45	die Jacke, -n	58
der Hausmeister, -	38	das Jahrhundert, -e	21
die Hecke, -n	38	der Jahrmarkt, ¨e	70
heilen	35		

jedem	71	die Kosten (Pl.)	16	das Lotto, -s	39	na schön	50
jedenfalls	69	das Kostüm, -e	58	das Luftballon-		nach (lokal)	9
jeweils	80	krank sein	33	Darts (Sg.)	71	nach (temporal)	25
das Joggen	38	das Krankenhaus, ⸚er	50	die Luxus-Disco, -s	44	das Nachbarhaus, ⸚er	18
die Jugendherberge, -n	18	der Krankenpfleger, -	53	das Luxushaus, ⸚er	72	der Nachtdienst, -e	53
jung	30	die Krankheit, -en	33	das Luxus-Schiff, -e	53	der Nachtzug, ⸚e	53
der Kakao, -s	23	der Kräutertee, -s	35	die Mama, -s	46	die Nähe: in der	
kalt	26	kreativ	29	der Mantel, ⸚	58	Nähe von	10
der Kamillentee, -s	35	die Kreditkarte, -n	80	der Markt, ⸚e	18	nämlich	18
(das) Kanada	73	(das) Kreta	64	das Medikament, -e	34	die Nase, -n	35
kaputt	26	die Krücke, -n	38	die Meditation, -en	38	die Naturmedizin (Sg.)	35
der Karaoke-		die Küche, -n	14	das Meer, -e	17	das Navi, -s	28
Wettbewerb, -e	55	die Küchenkräuter (Pl.)	35	die Meinung, -en	49	der Navigator,	
die Karibik	53	kühl: es ist kühl	63	die Melodie, Melodien	63	Navigatoren	29
die Karriere, -n	38	die Kultur, -en	23	das Messezentrum,		der Nebel, -	61
der Katalog, -e	60	kulturell	23	-zentren	53	neben (lokal)	10
der Kaufpreis, -e	37	kümmern: sich		mich	47	die Nebenkosten (NK) (Pl.)	15
der Keller, -	14	kümmern um	26	die Miete, -n	15	neblig: es ist neblig	62
kennen·lernen	25	die Kunst, ⸚e	23	das Mikrofon, -e		negativ	16
der Kilometer, -	9	der Künstlername, -n	53	(das Mikro, -s)	53	nerven	46
der Kindergarten, ⸚	18	der Kurzurlaub, -e	62	der Milchkaffee, -s	61	der Neuschnee (Sg.)	62
das Kinderzimmer, -	14	der Laden, ⸚	18	der Millionär, -e	39	nicht so : nicht so gut	15
der Kinofilm, -e	88	lagern	23	minus	62	der Norden (Sg.)	63
der Kinogutschein, -e	66	die Landschaft, -en	18	mir	18	normal	17
die Kirche, -n	18	langsam	37	Mist!	46	normalerweise	53
der Kirchturm, ⸚e	23	laufen	32	der Mitarbeiter, - / die		nun	12
Klasse!	59	die Laune, -n	61	Mitarbeiterin, -nen	37	nutzen	37
das Kleid, -er	59	laut	43	der Mitbewohner, -	48	oben	14
das Kleidungsstück, -e	86	das Leben, -	64	miteinander	54	der Ober, -	56
das Klima (Sg.)	69	ledig	81	mit·machen	62	öffnen	62
die Klimaanlage, -n	26	leer	15	mit·nehmen	26	Oh nein!	46
die Klima-		legen	53	das Mittelmeer	62	Oh!	56
veränderung, -en	69	die Leine, -n	51	mitten	15	das Ohr, -en	35
der Klimawandel (Sg.)	69	leise	50	mobil	40	die Olympiastadt, ⸚e	21
das Kloster, ⸚	35	die Lesung, -en	23	möbliert	15	das Online-Handbuch, ⸚er	37
der Klosterladen, ⸚	35	der Leuchtturm, ⸚e	76	die Modenschau, -en	70	der/die Operierte, -n	53
der Klosterlikör, -e	35	das Licht, -er	26	der Mofafahrer, -	50	ordentlich	48
klug	59	die Liebe (Sg.)	39	der Moment, -e	12	die Ordinalzahl, -en	65
km/h (Stundenkilometer)	62	das Lieblingsbuch, ⸚er	80	das Monatsende, -n	37	die Ordnung: in	
das Knie, -	35	das Lieblingsfest, -e	67	die Monatsmiete, -n	15	Ordnung sein	43
der Koch, ⸚e	55	das Lieblings-		morgens	38	die Originalmelodie, -n	40
das Kochrezept, -e	18	Kleidungsstück, -e	59	das Motorrad, ⸚er	31	der Osten (Sg.)	63
komisch	42	der Lieblingspark, -s	21	der Motorradfahrer, -	50	das Ostern, -	66
die Komparation, -en	57	der Lieblingsplatz, ⸚e	21	das Motto, -s	71	die Ostsee	62
der Komparativ, -e	60	die Lieblingsstadt, ⸚e	23	die Motto-Party, -s	71	der Papa, -s	66
das Komponieren	30	das Lieblings-T-Shirt,		der Müll (Sg.)	15	parken	51
die Konjunktion, -en	61	-s	59	der Mund, ⸚er	35	das Party-Gespräch, -e	43
der Konjunktiv II , -e	65	das Lieblingsviertel, -	18	der Musikclip, -s	54	der Party-Raum, ⸚e	71
der Kontakt, -e	15	das Lieblingswetter, -	63	der Musiker, - / die		passen: das Kleid	
kontrollieren	53	der Liedermacher, -	31	Musikerin, -nen	81	passt zu dir	70
das Konzertticket, -s	67	der Liegestuhl, ⸚e	71	der Musikmanager, -	55	der Patient, -en	40
der Kopf, ⸚e	33	lila	58	die Musikproduktion, -en	30	das Pech: Pech haben	62
die Kopfschmerzen		links	9	die Musikschule, -n	31	peinlich	46
(Pl.)	33	die Liste, -n	26	müssen	49	per: per Telefon	40
die Körpergröße (Sg.)	55	die Locke, -n	43	die Mütze, -n	55	das Pflaster, -	35
das Körperteil, -e	33	lokal	9	na gut	40	der Pflegebericht, -e	53
die Kosmetika (Pl.)	35	löschen	37	na los!	46	das Picknick, -e und -s	50

tragen: einen Rock tragen	59	das Urlaubsfoto, -s	62	warten	25	Wow!	60
tragen	50	der Urlaubsort, -e	19	die Wäsche (Sg.)	46	wunderbar	62
der Traum, ⸚e	62	verändern	69	waschen	46	der Wunsch, ⸚e	29
das Traumhaus, ⸚er	15	verbieten: das ist verboten	51	der Wecker, -	27	der Wunschbaum, ⸚e	39
das Traumwetter (Sg.)	62	die Verbindung, -en	39	die Wegbeschreibung, -en	9	wünschen (sich)	39
die Traumwohnung, -en	48	verdienen	30	weh·tun	33	der Würfel, -	10
traurig	42	vereinbaren	25	das Weihnachten, -	66	die Yoga-Lehrerin, -nen	81
die Treppe, -n	14	vergangen	69	weit: Wie weit ist es bis zum Bahnhof?	18	z.B. (zum Beispiel)	15
trotzdem	11	der Vergleich, -e	57	weiter·fahren	9	zählen	30
tun: Was kann ich für Sie tun?	25	verkaufen: sich verkaufen	30	weiter·geben	37	zahlreich	39
die Tür, -en	38	der Verlag, -e	35	weiter·gehen	25	der Zahn, ⸚e	35
der Turm, ⸚e	18	verlieren	37	weiter·leben	69	der Zauberer, -	53
der U-Bahn-Waggon, -s	53	der Vermieter, - / die Vermieterin, -nen	15	weiter·lesen	30	das Zeichen, -	21
über (lokal)	10	vermuten	85	die Welt, -en: zur Welt kommen	55	die Zeichnung, -en	36
überall	18	die Vermutung, -en	50	die Weltreise, -n	39	die Zeile, -n	32
überfliegen	27	verschieben	25	weltweit	55	der Zeitpunkt, -e	27
die Überraschungsparty, -s	65	versprechen	37	wenden	9	der Zeitraum, ⸚e	69
üblich	21	verstärken	57	wenig	69	die Zeitschrift, -en	60
um (temporal)	27	versuchen	37	werden	29	die Zeitungskolumne, -n	49
die Umfrage, -n	35	der/die Verwandte, -n	68	die Werkstatt, ⸚en	18	der Zeitungstext, -e	29
der Umschlag, ⸚e	71	die Verwendung, -en	36	der Westen (Sg.)	63	das Zelt, -e	76
die Umwelt (Sg.)	49	verzeihen	56	das Wetter (Sg.)	18	zelten	50
um·ziehen: sich um·ziehen	53	das Viertel, - (Stadtviertel)	19	die Wetterassoziation, -en	63	das Zentrum, Zentren	10
um·ziehen	16	das Vitamin C	83	das WG-Zimmer, -	48	das Ziel, -e	62
unbedingt	29	die Volksnähe (Sg.)	21	die Wiese, -n	50	ziemlich	59
und so weiter	53	von … an	37	der Wind, -e	61	die Zimmergröße, -n	48
unfreundlich	42	vor (lokal)	9	windig: es ist windig	62	das Zimmermädchen, -	78
unglaublich	62	vorbei	56	die Wirklichkeit, -en	37	zu Fuß	49
unglücklich	42	vorbei·bringen	71	wischen	47	zu zweit	26
die Uniform, -en	53	vorbei·fahren	11	die Wissenschaft (Sg.)	69	der Zufall, ⸚e	69
uninteressant	42	vorn	14	woanders	21	zufrieden	66
die Universitätsklinik, -en	53	vor·schlagen	79	die Wohngemeinschaft, -en	47	die Zukunft (Sg.)	27
die Unordnung (Sg.)	48	die Wache, -n	53	das Wohnmobil, -e	62	zuletzt	86
unsympathisch	42	Wahnsinn!	44	der Wohnraum, ⸚e	15	zu·machen	47
unter	14	wahnsinnig	48	die Wohnung, -en	15	zunächst	55
unterschiedlich	69	das Wahrzeichen, -	23	die Wohnungsanzeige, -n	13	zurück·fahren	9
das Unwetter, -	62	der Wald, ⸚er	76	der Wohnungsmarkt, ⸚e	15	zurück·kommen	79
der Urlaub, -e	27	der Walzer, -	56	das Wohnzimmer, -	14	zurück·rufen	47
der Urlauber-Animateur, -e	55	das Wappen, -	22	die Wolke, -n	62	zurück·überweisen	37
		warm	62	wolkenlos	62	die 20er-Jahre-Party, -s	71
		die Warmmiete, -n	15			die 2-Zimmer-Wohnung, -en	15

QUELLENVERZEICHNIS